言いなりにならない江戸の百姓たち

「幸谷村酒井家文書」から読み解く

渡辺尚志……【著】
Watanabe Takashi

文学通信

【目次】

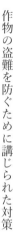

はじめに

百姓は無学で読み書きができなかった?

❖江戸時代の主人公は無名の百姓たち

常磐線新松戸駅のホームに立って東側を見ると、低地の先に台地がせりあがっているのが見えます。このあたりは、下総《しもうさ》台地と関東平野の境に当たっているのです。この低地から台地にかけての一帯が、本書の舞台となる下総国《しもうさのくに》（下総国は現在の千葉県北部を中心とする地域）葛飾郡幸谷村《かつしかぐんこうやむら》（現千葉県松戸市幸谷）です。本書は、江戸時代の幸谷村に生きた百姓たちの営みを描き出そうとするものです。村や百姓が主題だというと、この本を手に取った皆さんは、「地味な本なんだろうな」とか「有名人は出てこないのかしら」とかお思いになるかもしれません。確かに、歴史の教科書や歴史小説に出てくるような有名人は一人も登場しません。しかし、江戸時代の主人公は、まぎれもなく無名の百姓たちだったのです。

今日、江戸時代といえば、著名な武士たちの行動や華やかな町人の暮らしばかりがクローズアップされがちです。しかし、彼らは、江戸時代においては圧倒的少数者でした。江戸時代の人口の約八割は、村に住む百姓たちだったのです。今日において、一般庶民の世論や動向が政治のあり方や国の進路を決定づけているのと同様に、江戸時代においても、社会の圧倒的多数者だった百姓たちの行動様式や思考パターンこそが、社会の常識や趨勢をかたちづくっていたのです。一見、我が物顔で威張っているようにみえる武士たちも、実は百姓たちの世論や動向に配慮することなしには、安定的な支配を続けることはできませ

常磐線新松戸駅のホームから見た現在の幸谷

左手（北側）の台地と右手（南側）の低地にまたがる一帯が、江戸時代の幸谷村の村域でした。低地部は頻繁に水害に遭いました。

んでした。そうした意味において、江戸時代の社会を支え、かつ動かした主役は百姓たちだったといえるでしょう。百姓に注目することこそ、江戸時代を深く理解する鍵なのです。

江戸時代の人口の約八割が百姓だったということは、この本を手に取った皆さんの大部分が、先祖をたどっていくと江戸時代の百姓に行き着くということです。もちろん、私もそうです。したがって、江戸時代の百姓について知ることは、私たちの先祖の営みを知るということです。また、村の歴史を知ることとは、私たちが暮らす地域の成り立ちを知ることでもあります。地域の歴史を知ることを通じて、地域への愛着も深まってくるでしょう。本書は、そうした思いを込めて書かれています。

❖幸谷村酒井家文書からみえる江戸時代

江戸時代の村と百姓について知るためには、当時の百姓自身が書いたり受け取ったりした古文書《こもんじょ》を紐解く必要があります。本書の舞台・幸谷村にも、何軒かの旧家に江戸時代以

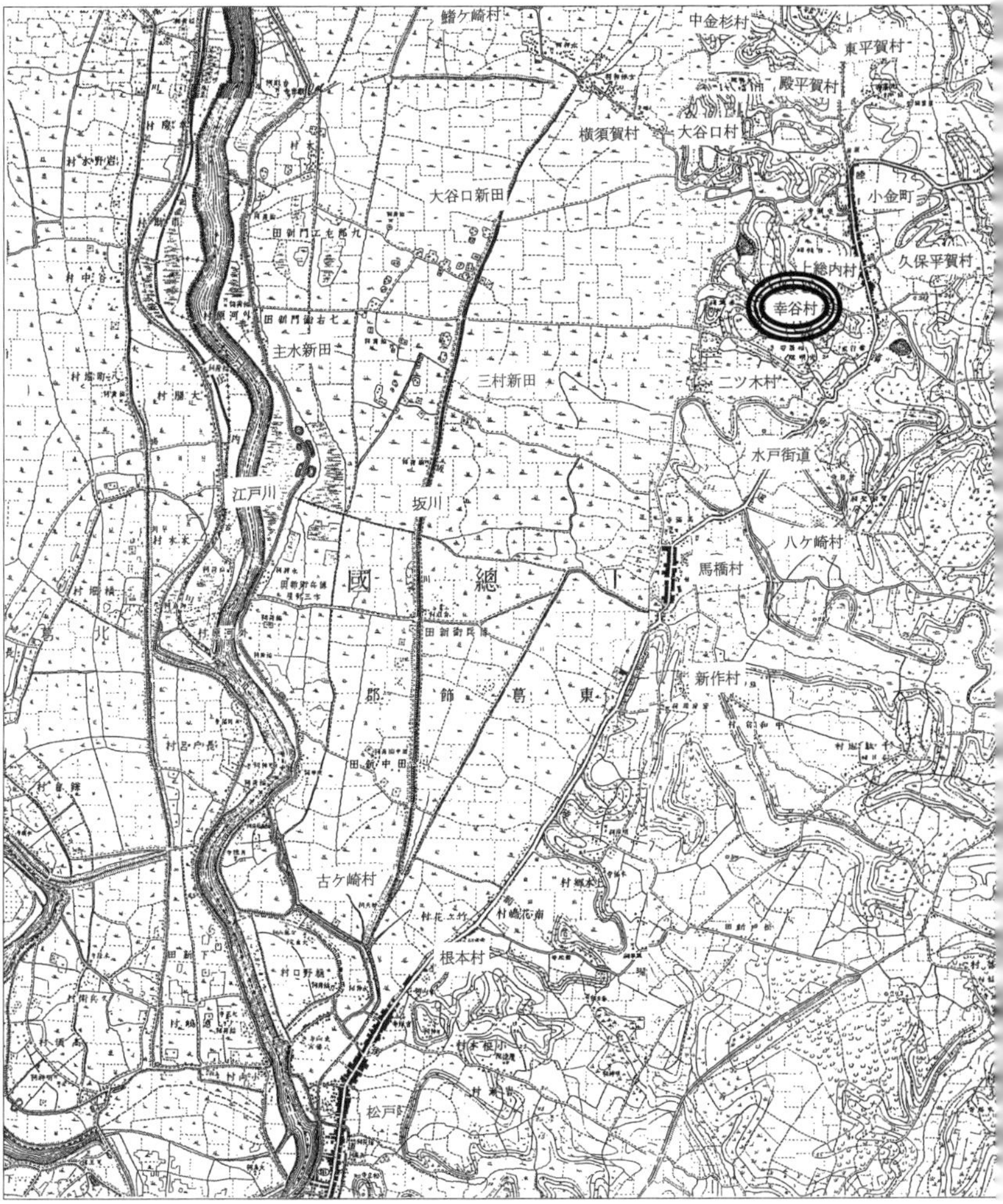

明治時代の幸谷村（現千葉県松戸市幸谷）周辺の地図

これは、明治一〇年代に日本陸軍が作成した地図です。表記の一部をわかりやすく改めました。

来の古文書が伝わっています。代々のご家族が、大事に保管し、守り伝えてきたのです。

本書の記述はすべて、そのうちの一軒である酒井《さかい》家に伝わった古文書に基づいています。本書に掲載した絵図も、酒井家に伝わったものです。酒井家文書は、現在、松戸市立博物館に寄託されており、その一部については『松戸市古文書目録(2)』(松戸市発行、一九八〇年)、『松戸市古文書目録(3)』(松戸市立図書館発行、一九八四年)に文書一点ごとの目録が掲載されています。

なお、幸谷村の関《せき》家にもたくさんの貴重な古文書が伝えられており、私はそれらを使って、先に『殿様が三人いた村　葛飾郡幸谷村と関家の江戸時代』(崙《ろん》書房出版、二〇一七年)という本を書きました。関心のある方は、合わせてお読みいただければ幸いです。

❖古文書を実際に読む

また、本書では、第二～六章において、一点ずつ章の内容に関わる文書を取り上げて、文書の写真、翻刻《ほんこく》(くずし字を活字化したもの)、読み下《くだ》し文(漢文調の文書を、仮名を加えたり、漢字を仮名に直したりして読みやすくしたもの)、現代語訳の四点をセットにして示し、さらに必要に応じて注や解説を加えました。翻刻や読み下し文は、一行の字数を古文書のそれに合わせて改行しています。これらによって、読者の皆さんに、少しでも生の文書がもつ雰囲気を味わっていただければ幸いです。もし、古文書自体には興味がなければ、現代語訳のところだけ読んで先に進んでいただいてけっこうです。

読者の皆さんのなかには、「江戸時代の百姓は無学で、読み書きができなかった」、「村は閉鎖的な社会で、村人は村外のよそ者とは付き合わなかった」、「百姓は武士に対しては服従するだけの無力な存在だった」、「江戸時代の農業は自給自足的だった」といったイメージをおもちの方もいらっしゃるのではないでしょうか。本書の第二～六章では、そうしたイメージについて、それが本当かどうか、幸谷村の事例に基づいて考えてみることにします。

それでは、酒井家文書からみえる江戸時代の幸谷村について述べていくことにしましょう。

第一章
入門、江戸時代の村！

❖江戸時代の村とは？

これから、江戸時代の幸谷村と、そこに生きた村人たちについて述べていくわけですが、その前に、江戸時代の村と百姓について、一般的なことをご説明しておきましょう。江戸時代の百姓たちは、家族でまとまって日々の暮らしを営んでいました。しかし、家は、それぞれが孤立して存在していたわけではありません。家々が集まって村をつくり、村人同士助け合って暮らしていたのです。

村は、江戸時代におけるもっとも普遍的かつ基礎的な社会組織でした。それは、百姓たちが生活と生産を営む場であると同時に、領主が百姓たちを把握するための支配・行政の単位でもありました（❶）。

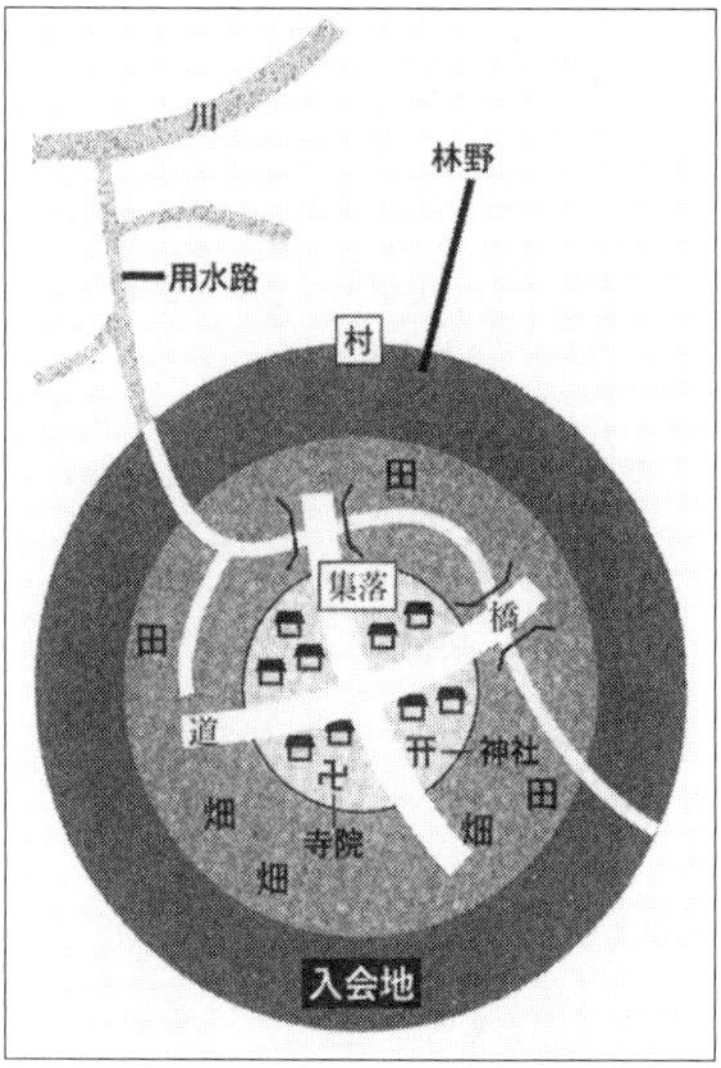

❶　江戸時代の村の概念図
（渡辺尚志『殿様が三人いた村』
崙書房出版、2017 年、より転載）

江戸時代における全国の村の数は、元禄《げんろく》一〇年（一六九七）に六万三二七六、天保《てんぽう》五年（一八三四）に六万三五六二でした。現在の全国の市町村数は約一七〇〇ですから、単純に平均して一つの市や町の中に三七程度の江戸時代の村が含まれていることになります。現在の松戸市域には、五五の江戸時代の町村が含まれています。

一八～一九世紀の平均的な村は、村高《むらだか》（村全体の石高、石高《こくだか》については後述）四〇〇～五〇〇石、耕地面積五〇町《ちょう》（江戸時代の面積の単位については後述）前後、戸数五〇～八〇戸、人口四〇〇人くらいでした（ちなみに、二〇二〇年二月現在の松戸市の常住人口は約四九万三〇〇〇人です）。このように江戸時代の村は今日の市町村と比べてずっと小規模でしたから、そのぶんそこに暮らす人びとの結びつきは今日よりもはるかに強いものでした。農作業から冠婚葬祭にいたるまで日常生活全般にわたって、村人同士が助け合い、また規制し合っていたのです。

❖江戸時代は石高制の社会

江戸時代は石高制の社会だといわれています。大名・旗本など武士の領地の規模も、百姓の所持地の広狭や村の規模も、いずれも石高によって表示されたからです。

では、石高とは何でしょうか。それは、田畑・屋敷地（宅地）などの生産高（標準的な農作物の生産量）を玄米の量で表したものです。石高とは、一定面積の田から収穫が予想される平均的な玄米量を表しているのです。畑や、まして屋敷地には通常米は作りませんが、作ったと仮定して畑や屋敷地にも石高を設定したのです。このように仮定の話が含まれているので、石高は土地の生産力を正確に表したものではありませんが、土地の課税基準や価値評価基準として重視されました。石高は、豊臣秀吉や江戸時代の幕府・大名が行なった土地の調査である検地《けんち》によって定められました。

石高は、容積の単位である石《こく》・斗《と》・升《しょう》・合《ごう》・勺《しゃく》・才《さい》で表示されました。一石＝一〇斗、一斗＝一〇升、一升＝一〇合、一合＝一〇勺、一勺＝一〇才です。一升瓶《いっしょうびん》が約一・八リットル入りであることは、現代人でも知っています。一石は一〇〇升ですから、約一八〇リットルとなります。米一石の重さは約一五〇キログラム、米俵にして二・五俵ほどとなります（一俵は約六〇キログラム）。江戸時代の一人一年間の米消費量は、一概には言えませんが、おおよそ一石程度でした。

ここで、面積の単位についても説明しておきましょう。江戸時代には、土地の面積を表す単位として町《ちょう》・反《たん》（段）・畝《せ》・歩《ぶ》が用いられました。一町＝一〇反、一反＝一〇畝、一畝＝三〇歩です。一歩＝一坪であり、これは一間《けん》（約一・八メートル）四方の面積です。およそ畳二畳分です。一畝はほぼ一アール（一〇〇平方メートル）、一反は三〇〇歩で、ほぼ一〇〇〇平方メートル、一町は三〇〇〇歩で、ほぼ一ヘクタール（一〇〇メートル四方＝一万平方メートル）に相当します。すなわち、次のようになります。

一歩＝一坪＝一間（約一・八メートル）四方

一畝＝三〇歩＝約一アール（一〇メートル四方＝一〇〇平方メートル）
一反＝一〇畝＝三〇〇歩＝約一〇〇〇平方メートル
一町＝一〇反＝三〇〇〇歩＝約一ヘクタール（一〇〇メートル四方＝一万平方メートル）

また、ごくおおまかにいって、一反の土地からは一石強の米がとれると考えてください。
一町の土地からは米一〇石強ということになります。ちなみに、現在では農業技術の発展等により、一反の田から約一〇俵（約四石）の米がとれます。

❖村の住民

村は、概念的にいうと、百姓の家屋が集まった集落を中核として、その周囲の田畑、さらにその外縁に広がる林野などを領域空間としてもっていました。集落・耕地・林野の三重の同心円構造といってもいいでしょう（一四頁❶）。

そのなかで、林野は、村全体で共同所有・利用することが一般的でした。こうした共有の林野を、入会地《いりあいち》といいます。

村は農業を主要な産業とする農村が大半でしたが、海辺にあって漁業や海運業を中核とする村や、山間部にあって林業が重要産業である村、あるいは商工業者主体の都市化した村もありました。漁業・林業・商工業などが中心産業だった村も、珍しくなかったのです。

ただし、そうした村の住民も、身分的には百姓でした。したがって、百姓＝農民だと単純に考えることはできません。

また、農村の住民であっても、農業以外に商工業・運送業・年季奉公《ねんきぼうこう》・日雇いなど、多様な生業を兼業する人が少なくありませんでした。自村や近隣の村の地主の家や、江戸の商家などに雇われて、年季奉公や日雇いに出る者もいたのです。江戸時代の百姓は、兼業農家であることが一般的でした。この点からも、百姓を農業とだけ結びつけて理解することは正しくありません。

村人たちは、入会地や農業用水路の共同管理、村の中の道・橋の維持・管理、村にある寺院や神社の祭礼の挙行、治安維持、消防・災害対応などのさまざまな面で協力し合いました。江戸時代には村に専任の警察や消防はありませんでしたから、治安維持や防火・消火活動も村人自らが担ったのです。

また、田植え・稲刈りなど一時に多量の労働力が必要なときには、結《ゆい》と呼ばれる労働力交換や、「もやい」と呼ばれる共同作業を行なって助け合いました。家々がお互いに労働力を提供し合って、一軒だけでは十分にこなせない作業を遂行したのです。

村人の大部分は身分的には百姓でしたが、一部には僧侶・神職なども含まれていました。また、百姓身分のなかにも、田畑などの土地を所持する本百姓《ほんびゃくしょう》（高持《たかもち》）と、土地をもたない水呑《みずのみ》（無高《むだか》）などの階層区分がありました。

村の家々は五戸前後がまとまって五人組《ごにんぐみ》をつくり、相互に助け合うとともに、年貢納入などの際には連帯責任を負いました。五人組は、領主が百姓同士を相互に監視させ、また連帯責任によって年貢を確実に徴収するためにつくらせた組織ですが、いったんできると、今度は百姓たちの相互扶助組織として重要な役割を果たしたのです。

また、本家とそこから分かれた分家が集まって同族団をつくって助け合ったり、婚姻を通じて親類関係が拡がったり、村の中がいくつかの集落に分かれていて、集落ごとに日常生活上で強くまとまったりしていることも広くみられました。このように、村の住民には多様な身分・階層・職業の人びとがおり、村の中には複数の小集団（五人組・同族団・親類・集落など）が重なり合って存在していたのです。

❖村のしくみ

先に述べたように、村は、領主の支配・行政の単位、すなわち行政組織でもありました。そこで、村の運営のために村役人が置かれました。村役人は、名主《なぬし》（庄屋《しょうや》・肝煎《きもいり》という村もあります）・組頭《くみがしら》・百姓代《ひゃくしょうだい》の三者で構成されることが多く、これを村方三役《むらかたさんやく》といいました。村方三役は、いずれも百姓が務めました。

名主は村運営の最高責任者、組頭はその補佐役であり、百姓代は名主・組頭の補佐と監査を主な職務としていました。名主は世襲で任期がないこともあれば、任期制のこともあり、また任期については特段の規定を設けず、必要に応じて適宜交代することにしている村もありました。世襲制の場合は、村内で特定の有力な家の当主が、代々名主を世襲したのです。任期制の場合には、入札《いれふだ》（投票）で後任を選ぶこともありました。江戸時代から、選挙で代表者を決めていた村もあったのです。

入札を行なう村は、江戸時代を通じてしだいに増えていきました。組頭や百姓代も、それぞれの村の事情と村人たちの意向に応じて、多様な方法で決められました。村役人の選出方法は村によって異なり、同じ村でも時期によって違っていたのです。

ただし、村役人、特に名主は、最終的には領主が任命しました。領主が村の意向を尊重して、村で決めた人物をそのまま名主に任命すれば問題はありませんでしたが、時には両者の意向が対立して紛糾することもありました。

名主は、村人たちの代表であると同時に、領主の政策・方針の村における実行者でもあるという二重の性格をもっており、そのため決定過程においても村側と領主側の双方の意向がはたらいたのです。

村の運営（年貢の収納、村の人口調査、領主の法令の村民への通達など）は村役人が中心的に担いましたが、村の重要事項（村の年間行事のスケジュール決定や領主への願い事など）は戸主全員の寄合《よりあい》（集会）で決められ、村運営のための必要経費（これを村入用《むらにゅうよう》といいます）は村民が共同で負担するなど、村は自治的に運営されていました。村独自の取り決め（これを村掟《むらおきて》といいます）も制定されました。

村掟の内容は村ごとに多様であり、時には領主の定めた法とは異なる内容が盛り込まれることもありました。こうした村の自治の背景には、兵農分離《へいのうぶんり》（士農分離《しのうぶんり》）によって武士の多くが城下町に集住するようになったため、日常的な村運営が百姓に委ねられたという事情がありました。

ちなみに、兵農分離とは、支配身分である武士（兵）と被支配身分である百姓（農）とを身分・居住地・職業等において区別し、前者が後者を支配する体制のことです。

戦国時代には、村の上層住民（在地《ざいち》領主・地侍《じざむらい》などと呼ばれます）のなかには、農業や商工業を営みつつ、大名の家臣（兵）となっている者が大勢いました。同一人物が兵と農を兼ねることができ、また兵と農の間はかなり流動的でした。豊臣秀吉や江戸幕府は、彼らの多くを村から引き離し、城下町（江戸は最大の城下町です）に集住させたのです。武士になった在地領主・地侍たちは城下町に移住して村に戻ることはありませんでした。

そのため、江戸時代の多くの村は、武士のいない村になりました。武士は城下町から文書によって村に必要な指示を出し、百姓たちも文書を用いて武士に報告や要求を伝えるようになりました。

こうして、江戸時代には文書行政が発達していったのです。百姓たちは文書行政に対応するために読み書きを学び、村には寺子屋《てらこや》（手習所《てならいじょ》）が増えていきました。読み書きのできる百姓や、村の寺の住職や神社の神職などが、本業のかたわら寺子屋を開設して、子どもたちを教えたのです。

❖百姓の負担と村請制

百姓の負担には、田畑・屋敷地（宅地）など検地帳《けんちちょう》（土地台帳）に登録された土地（高請地《たかうけち》といいます）に賦課される年貢（本年貢《ほんねんぐ》・本途物成《ほんとものなり》）や、山・野・河・海の産物や商工業の収益にかかる小物成《こものなり》などがありました。

幕府や大名は、村を単位に検地（土地調査）を実施しました。検地では、担当役人が畔《あぜ》で区切られた一区画ごとに土地の面積を調査し、地味《ちみ》（土地の生産力の質）に応じて耕地に上・中・下・下々《げげ》といった等級をつけました。上田《じょうでん》・中田・下田・下々田、上畑《じょうばた》・中畑・下畑・下々畑といった具合です。

土地の一区画ごとに、検地によって把握された耕地面積、等級（上・中・下・下々など）、田畑の別・石高（土地からの米の標準生産高）、土地所持者（名請人《なうけにん》といいます）などの情報を記した帳面が検地帳であり、村のすべての田畑・屋敷地の石高を合計した数値が村高《むらだか》です。こうした検地を通じて、土地生産力を米の量で換算表示する石高制が確立していきました。

年貢などの負担は、領主から個々の百姓に対して直接賦課されたわけではありません。江戸時代には、諸負担は村全体でまとめて納入する制度になっていました。これを、村請《むらうけ》制《せい》といいます。

領主は毎年、村に対して納めるべき年貢の総額を示すだけで、あとは名主を中心に村人たちが自主的に各自の負担額を確定し、名主が村全体の年貢を取りまとめて領主に上納したのです。村請の年貢の徴収・納入を主体的に担うことを通じても、村人たちの自治能力は大きく伸びていきました。

なお、江戸時代の村は今日の地方自治体に当たるのではないか、村が村人に年貢を割り付けるのは、今日の地方自治体が住民から地方税を徴収するのと同じではないか、とお考えの方もいるでしょう。確かに、村と地方自治体との間には共通点もあります。しかし、前述したように、村は地方自治体よりはるかに小規模だったため、今日の私たちが、居住する市町村の住民のごく一部としか知り合いではないのと異なって、江戸時代の村人たちは皆が顔見知りであり、そこには濃密な人間関係が存在していました。また、江戸時代の村には、今日の地方公務員に当たる専従職員もいませんでした。江戸時代の村役人は、それぞれ自らの家業を営むかたわら、村の運営を担っていたのです。このように、江戸時代の村と今日の地方自治体の間には相違点も多々あるため、両者を同じものと考えることはできません（※）。

※　江戸時代の村についてよりくわしく知りたい方は、渡辺尚志『百姓の力』（KADOKAWA〈角川ソフィア文庫〉、二〇一五年）、同『百姓たちの江戸時代』（筑摩書房〈ちくまプリマー新書〉、二〇〇九年）をご覧ください。

❖江戸時代の貨幣制度

江戸時代の一両は、今のいくらに相当するのでしょうか。ここで、江戸時代の貨幣制度について述べておきます。

江戸時代には、金・銀・銭《せん》三種の貨幣が併用されました。これを三貨といいます。

金貨には大判・小判などがあり、その単位は両・分《ぶ》・朱《しゅ》で、一両＝四分、一分＝四朱という四進法でした。小判一枚が一両となります。大判は、実際にはほとんど使われませんでした。

銀貨の単位は貫《かん》・匁《もんめ》・分《ふん》・厘《りん》・毛《もう》で、一貫＝一〇〇〇匁、一匁＝一〇分、一分＝一〇厘、一厘＝一〇毛でした。

銭貨《せんか》の単位は貫《かん》・文《もん》であり、一貫＝一〇〇〇文でした。もっともポピュラーな銭貨だった寛永通宝《かんえいつうほう》など、銅銭一枚が一文です。また、永《えい》という単位が使われることがありましたが、永とは中国からの輸入銭である永楽通宝《えいらくつうほう》のことで、江戸時代には実際には流通していませんでしたが、単位としてのみ用いられました。金一両＝永一〇〇〇文となります。

三貨相互の交換比率は時と場所によって変動しましたが、おおよその目安として、江戸時代後期には金一両＝銀六〇匁＝銭《ぜに》五〇〇〇～六〇〇〇文くらいと考えればいいでしょう。金一両でほぼ米一石が買えました。

江戸時代の貨幣価値が現代のいくらに相当するかは難しい問題です。日本人の主食である米の値段を基準に考えると（同量の米が、江戸時代と現代とでそれぞれいくらするかを比べます）、金一両＝六万三〇〇〇円、銀一匁＝一〇五〇円、銭一文＝一一円くらいとなります。一方、賃金水準をもとに考えると（大工《だいく》など同一の職種の賃金が、江戸時代と現代でそれぞれいくらかを比べます）、金一両＝三〇万円、銀一匁＝五〇〇〇円、銭一文＝五五円くらいとなります（磯田道史監修『江戸の家計簿』（宝島社、二〇一七年）を参考にしました）。いずれにしても、これらはあくまで一つの目安にすぎません。おおよそ、金一両＝一〇～一五万円と考えておけば大過ないでしょう。

❖江戸時代には閏月があった

次に、江戸時代の暦について、簡単に述べておきます。今日でも閏年はありますが、江戸時代には閏月《うるうづき》というものがありました。江戸時代の暦（旧暦）は太陰太陽暦《たいいんたいようれき》でした。月の運行をもとにした太陰暦を基本にしつつ、太陽の運行をもとにした太陽暦を組み合わせた暦です。

月の運行を基準にすると、新月から次の新月までの一サイクルは平均二九・五三〇六日なので、太陰太陽暦ではひと月は二九日か三〇日となります。現代の太陽暦より、ひと月が一日か二日少ないのです。一年は三五四日でした。

しかし、これでは太陽暦と年に一〇日以上のズレが生じてしまうので、太陽暦との調整のために、一九年間に七回の閏月をおいたのです。おおよそ、三年に一回です。閏月とは、ある月が終わったあとに、もう一回同じ月を繰り返すことです。たとえば、二月のあとにもう一回二月がくるのであり、あとのほうの二月を閏二月《うるうにがつ》といいました。閏月のある年は、一年が一三か月あり、一年が三八三日もしくは三八四日となりました。何月が閏月になるかは、一定していませんでした。本書で用いる月日は、すべて旧暦によるものです。

では、以上の一般的知識を念頭に置きながら、具体的に江戸時代の幸谷村について述べていきましょう。

❖ 一つの村に三人の領主

❷「台」から「嶋」へと降りる道

まず、幸谷村の概況からお話ししましょう。幸谷村の村高（村全体の石高）は、一七世紀末には三八八石余（四五一石ともいいます）、一八世紀半ば以降は五一一石九斗五合余でした（五一四石とされる場合があるなど、文書によって数値には若干の異同があります）。全国的にみて、標準的な規模の村だといえます。幸谷村の村域は、台地の上と下にまたがっていました。そして、台地の下の方を「嶋《しま》」、上の方を「台《だい》」と呼んでいました（❷）。明治五年（一八七二）には戸数六二戸、人口三六〇人でしたが、江戸時代の戸数はこれよりいくぶん少なめでした。

次に、幸谷村の領主についてご説明します。幸谷村は、江戸時代の初めには村全体が幕府領でしたが、寛永《かんえい》三年（一六二六）に、その一部が旗本古田《はたもとふるた》氏の領地（知行地《ちぎょうち》）になりました。幕府と古田氏と、領主が二人になったのです。ちなみに、旗本とは、幕府の直属家臣で、領地の石高は一万石未満、将軍に直接お目見えすることができる身分でした。旗本は幕府の軍事力の中核ですから、江戸に近い関東地方に領地を与えられる者が大勢いました。旗本の屋敷は江戸にあり、当主や家臣は江戸に住んでいました。

その後、一七世紀末までには幕府領が旗本春日《かすが》・曲淵《まがりぶち》両氏の領地になりました。幸谷村は、古田氏も含めて、三人の旗本が分割支配する村になったのです。ほかに、東漸寺《とうぜんじ》（幸谷村に近接する小金町《こがねまち》（水戸街道の宿場だったので小金宿《こがねじゅく》ともいいます）にある寺院）領が七石余ありましたが、これはごくわずかなので、以下では幸谷村の領主は三人ということで話を進めます（❸）。このように、村の中が複数の領主の領地に分かれている村を相給村落《あいきゅうそんらく》といいます。相給村落は全国的に見ると少数派でしたが、関東地方や近畿地方では比較的多くみられました。相給村落では名主も領主ごとに一人ずつ置かれたので、幸谷村全体では三人いました。

幸谷村の百姓は、どの家も、三人の領主のうち誰か一人を自らの領主としていました。見方を変えると、同じ幸谷村の村人でも、従う領主は別々だったのです。また、幸谷村の田畑・屋敷地は一区画ごとに、三人の領主のうち誰か一人の領地だと決まっていました。

❸ 小金町にある東漸寺

幸谷村には領主が三人いても、村人の側からすれば、自分の殿様は三人のうち誰か一人だけでした。また、自分の所有する田畑は、一区画ごとにどの領主の領地か、はっきり決まっていました。そうでないと、その土地にかかる年貢をどの領主に納めたらいいかわからないからです。

各領主の領地の耕地面積（屋敷地を含む）と石高を、【表1】に示しました。古田氏領（古田知行《ちぎょう》所《しょ》）は二四三・四九三石（＝二四三石四斗九升三合）余、春日氏領（春日知行所）は七四石、曲淵氏領（曲淵知行所）は一八七・〇七八石（＝一八七石七升八合）でした。

	田		畑		計	
曲淵知行所	16 町 3 反 5 畝 25 歩	150.056 石	5 町 5 反 9 畝 26 歩	37.022 石	21 町 9 反 5 畝 21 歩	187.078 石
古田知行所	19 町 6 反 7 畝 10 歩	190.919 石	7 町 5 反 0 畝 6 歩	52.57448 石	27 町 1 反 7 畝 16 歩	243.49348 石
春日知行所	7 町 3 反 5 畝 25 歩 5 厘	56.975 石	2 町 7 反 1 畝 20 歩 5 厘	17.025 石	10 町 0 反 7 畝 16 歩	74 石
計	43 町 3 反 9 畝 0 歩 5 厘	397.95 石	15 町 8 反 1 畝 22 歩 5 厘	106.62148 石	59 町 2 反 0 畝 23 歩	504.57148 石
東漸寺領						7.334 石
総計						511.90548 石

表１　幸谷村の領主別の領地
（渡辺尚志『殿様が三人いた村』崙書房出版、2017 年、より転載）

また、各領主に属する領民の戸数をみると、天保《てんぽう》九年（一八三八）には、村の全戸数四六戸のうち、古田氏領二〇戸、春日氏領一〇戸、曲淵氏領一六戸（一八戸とする史料もあります）、安政《あんせい》四年（一八五七）には、古田氏領二一戸、春日氏領一〇戸、曲淵氏領一七戸でした。古田・曲淵・春日の順で、戸数が多かったのです。

❖異なる領地・領民が入り交じる

三人の領主の領地と領民は、幸谷村のなかでどのように分布していたのでしょうか。実は、村のなかが地域的にきれいに三分割されていたのではなく、各領主の領地は村内で相互に入り交じっていました。ただし、江戸時代に、古田氏領は「嶋組」、曲淵氏領は「台組」、春日氏領は「中《なか》組」と呼ばれていました。そこからすると、古田氏領の領民は比較的「嶋」（台地の下）に多く、曲淵氏領の領民は比較的「台」（台地上）に多く住んでいたのではないでしょうか。

本書のもととなる古文書を伝えてきた酒井家は春日氏領の有力百姓で、名主や組頭を永く務めました。台地上に居を構え、当主は代々又市《またいち》や市郎右衛門《いちろうえもん》などと名乗っていました。

また、領主の春日氏は、幸谷村のほかにも、関東地方の五か村に領地をもっていました。その村名と春日氏領の石高は、以下のとおりです。

武蔵国《むさしのくに》足立郡《あだちぐん》中野田村《なかのだむら》（現埼玉県さいたま市）	三〇〇石
同　中丸村《なかまるむら》（同右）	一六〇石
常陸国《ひたちのくに》真壁郡《まかべぐん》赤浜村《あかはまむら》（現茨城県筑西市）	三〇七石三斗三升
常陸国新治郡《にいはりぐん》小塙村《こばなむら》（現茨城県石岡市）	一五一石四斗七升
同　上林村《かんばやしむら》（同右）	八七石二斗
下総国葛飾郡幸谷村	七四石
計	一〇八〇石

六か村の領地すべてを合わせても一〇〇〇石余で、旗本としては小規模な部類です。

幸谷村の寺社についてもふれておきましょう。寺院としては曹洞宗の福昌寺《ふくしょうじ》、神社としては鎮守《ちんじゅ》（村の守り神）赤城明神《あかぎみょうじん》（赤城権現《ごんげん》ともいう、現在の赤城神社、祭神は大己貴命《おおなむちのみこと》＝大国主大神《おおくにぬし》）がありました。

また、福昌寺に隣接する観音堂《かんのんどう》（幸谷観音）には、行基《ぎょうき》（奈良時代の高僧）作と伝えられる

❹　黒観音を祀る観音堂

十一面観音像（通称「黒観音《くろかんのん》」）が祀られており、現在は午《うま》年の四月一八日に御開帳があります。一二年に一回の御開帳ということです（❹）。

ほかにも、幸谷村には「庵《あん》（いおり）」（僧や世捨て人が住む簡素な小屋）があり、村全体の共有物になっていました。宝暦《ほうれき》九年（一七五九）には、光安《こうあん》という僧がそこを借りて住むことになりました。

❖村の神社は村人全員で維持する

赤城明神は村を守護する鎮守であり、村人全員が氏子《うじこ》になっていました。赤城明神には専任の神職がいなかったので、神社の維持・運営も村人たちが共同で行なっていました。

寛延《かんえん》四年（＝宝暦元年、一七五一）には、社殿の痛みが目立つようになったので、村人たち（＝氏子たち）が相談して、修復しようということになりました。しかし、村人たちの懐具合《ふところぐあい》では十分な修復費用が出せません。そこで、村の戸主《こしゅ》たち三九人は連名で、三人の領主の村役人たちに次のように願い出ました。「来年一年間、村の溜池《ためいけ》の水を抜いて耕地にして、そこを希望者に貸し出して耕作させてほしい。そして、そこの耕作者から村が受け取る小作料《こさくりょう》を赤城明神の修復費用に充てるようにしたい」。

これには、少し説明が必要でしょう。幸谷村の北端（ここは字《あざ》（村内の小地名）小谷ツ田《こやつだ》といいました。現在のマツモトキヨシ本社のあたりです）には村共有の溜池があり、村の用水源になっていました（【図・第二章❶】の用水溜）。この溜池は、冬季や、ほかの水源からの用水が潤沢なときには、水を抜いて、一部を田として利用することもありました。村では、溜池の土地を、用水池にしたり、耕地にしたりと、臨機応変に利用していたのです。これは、村の共有地を有効利用するための工夫だといえるでしょう。

寛延四年のときにも、村人たちは溜池を耕地化して貸し出し、そこから上がる小作料（借地の利用料）を赤城明神の修復資金にしようとしたのです。村役人たちも、この願いを了承しました。これは、溜池の土地という村の共有財産からの収入を、神社修復という村の共同事業のために使った事例です。溜池は農業生産のための施設、神社は信仰・宗教施設と、その性格は違いますが、いずれも村の共有財産という点では共通していました。そこで、両者をうまく関連付けて、溜池の土地からの収益を神社の修復費用に充てたわけです。また、宝暦八年には、村人全員が赤城明神の「神官《しんかん》」をしたいと、三人の領主の村役人たちに願い出て、村役人たちもそれを認めています。これも、村の鎮守を村全体で支えていこうという思いの表れでしょう。

なお、宝暦九年一〇月には、幸谷村の全戸主四二人が三給《さんきゅう》（幸谷村の三人の領主およびその領地）の村役人五人に宛てて、①溜池の水が年々他村の者に盗まれたり、盗賊が横行したりして、村人たちが困っていること、②そこで、番人を雇って小屋に常駐させ、春は水、秋は稲の番（夜回り）をさせたいこと、③番人の給金は、溜池の一部を耕地にして貸し出した小作料で賄いたいこと、④番人の食費・食料（味噌など）は、村の各戸が分担して毎月支出すること、を提案しています。ここでも、溜池の一部を耕地化することで生まれる収益を、盗難防止という村の共益のために使おうとしているのです。

❖寺を支える中心的な檀家だった酒井家

ここで、酒井家の信仰についてもふれておきましょう。酒井家の菩提寺《ぼだいじ》（檀那寺《だんなでら》）は、幸谷村からほど近い殿平賀村《とのひらがむら》（現松戸市）の慶林寺《けいりんじ》でした。天明《てんめい》三年（一七八三）八月に、酒井家の当主又市《またいち》は、慶林寺の客殿《きゃくでん》（来客と面会するための建物）で用いる仏具を新調する代金として金三両を寄進しました。寺では又市の厚志に報いるために、彼の先祖三人（男性一人、女性二人）の戒名《かいみょう》を「居士《こじ》」「大姉《だいし》」に改めました。たとえば、「本光妙意大姉《ほんこうみょういだいし》」というように格の高い戒名に変えたわけです。酒井家は、慶林寺の財産の管理・運用も任されていました。寺を支える中心的な檀家《だんか》だったのです。

　また、文政《ぶんせい》一〇年（一八二七）二月には、酒井家の敷地内にある稲荷社《いなりしゃ》に「正一位稲荷《しょういちいいなり》大明神《だいみょうじん》」という神号が授与されました。授与したのは、京都の公家《くげ》の白川《しらかわ》家です。白川家は、吉田家と並んで、全国の神社・神職を統括していました。

　そこで、酒井又市が白川家に願って、自家の守り神である稲荷社に神号を授けてもらったのです。このとき、又市は白川家に、金三分二朱を納めています。白川家から又市に渡された神号の授与書には、「この稲荷大明神を怠りなく尊信すれば家内が繁昌するので、子孫まで末永く稲荷大明神を守護すべし」と記されています。又市としては、ただの「お稲荷さん」よりも「正一位稲荷大明神」のほうが、権威が上がると思ったのでしょう。これも、信仰心の一つの表れ方です。なお、稲荷社は、今も酒井家の敷地内に祀られています。

第二章
領主と村と百姓の関係

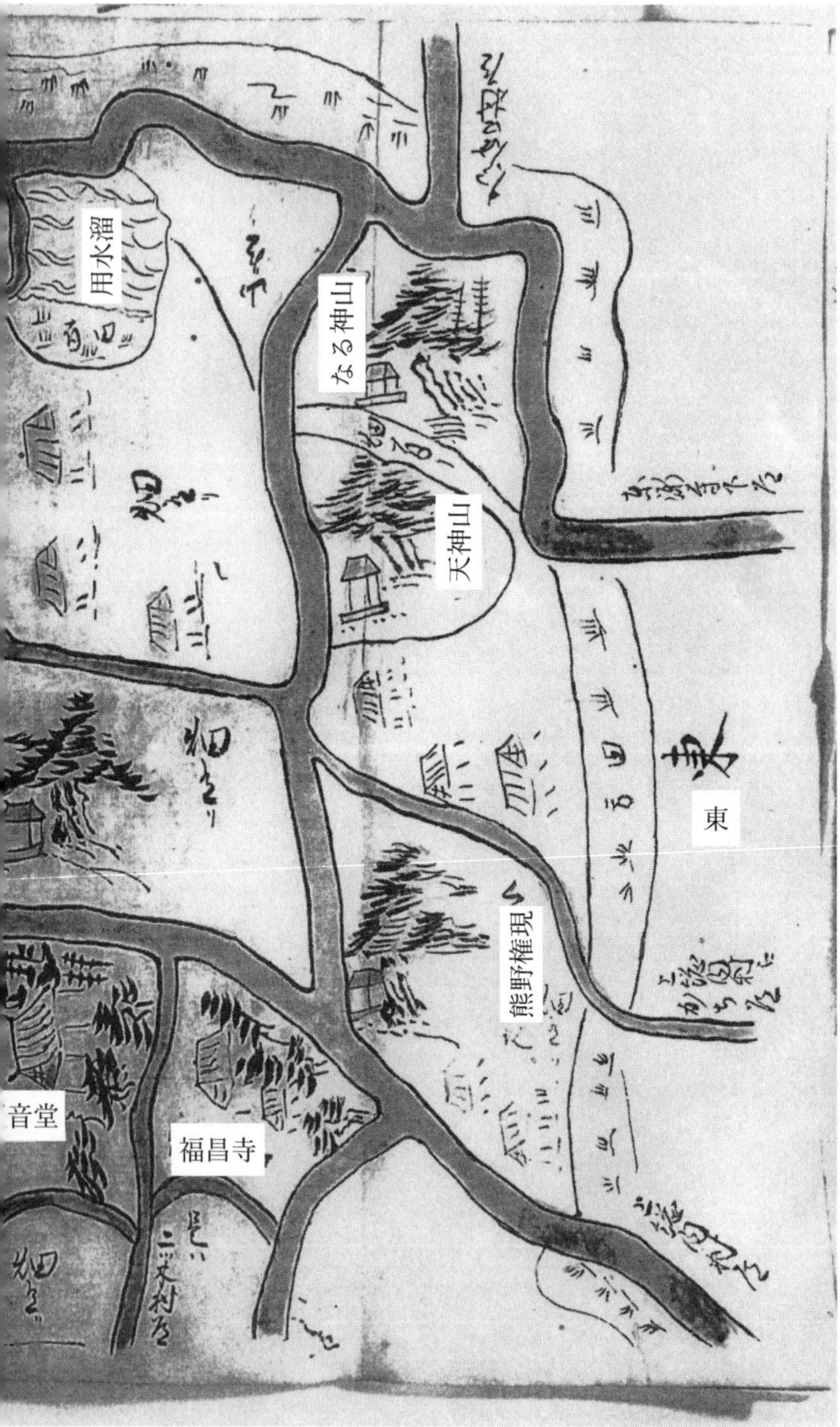
用水溜
なる神山
天神山
東
熊野権現
音堂
福昌寺

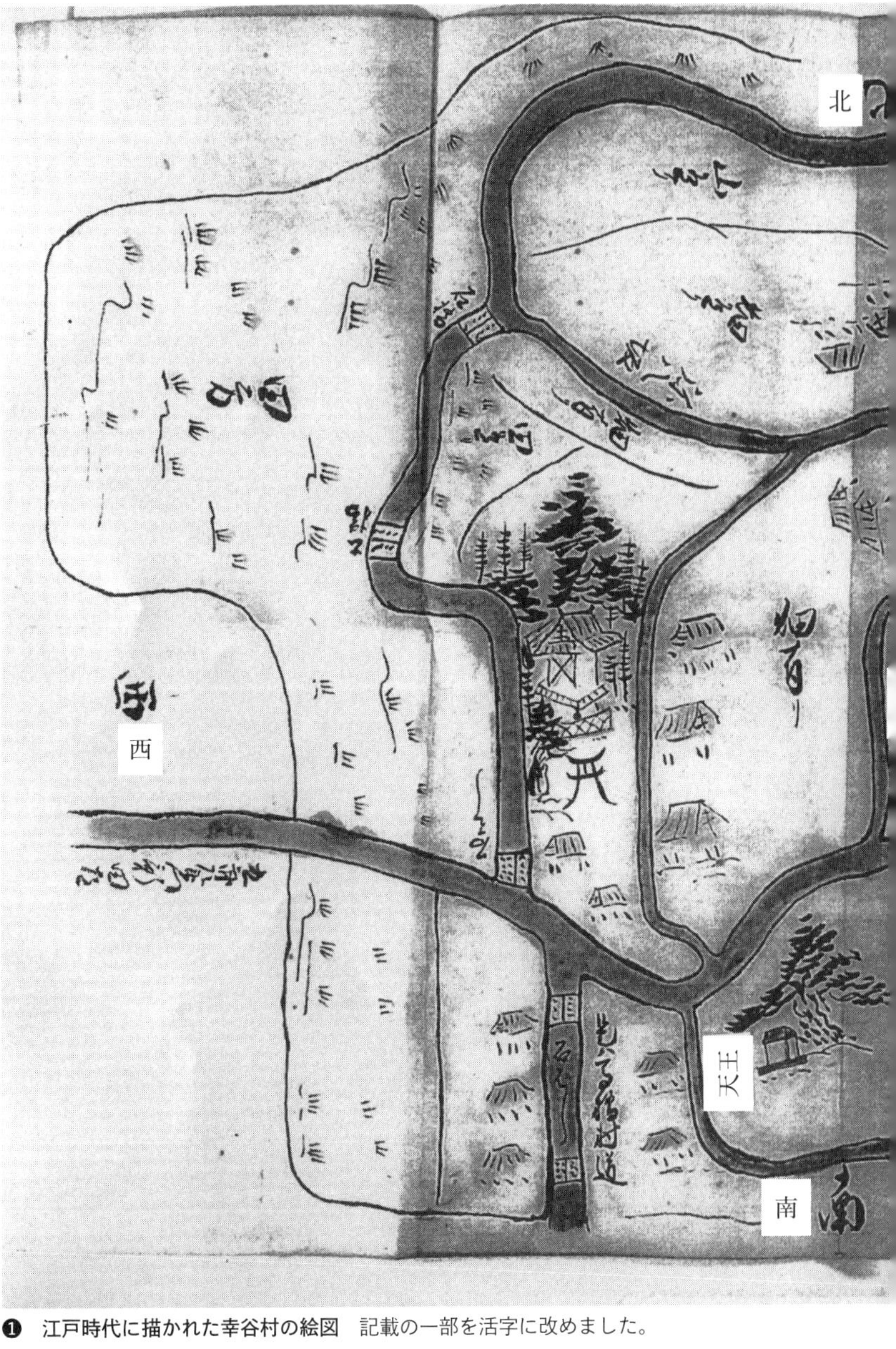

❶ **江戸時代に描かれた幸谷村の絵図**　記載の一部を活字に改めました。

❖もっともポピュラーな年貢額の決め方

本章では、江戸時代の領主・村・百姓の関係のあり方をいくつかの側面からみていきたいと思います。

宝暦《ほうれき》八年（一七五八）六月に、幸谷村春日氏領の百姓一一人（春日氏領の戸主全員）から、春日氏の役人である森新兵衛《しんべえ》と野本文右衛門《ぶんえもん》（二人は武士です）に宛てて、一通の願書が出されました。一一人のうちには、名主又市《またいち》と組頭政治郎《まさじろう》も含まれていました。この願書には、次のように記されています。以下の引用は私が現代語訳したものであり、以下本文中で引用する文書はすべて現代語訳しています。

昨宝暦七年には、定免《じょうめん》ではなくなってしまいました。幸谷村は、御存じのとおり、春日様のほかの村の領地とは異なり、水害に遭いやすい土地柄です。また、幕府などからの賦課《ふか》も多く、百姓たちはたいへん難儀しております。

毎年の年貢額の決め方について、過去には、毎年秋に稲が実るのを待って、百姓たちがまず自分たちで作柄《さくがら》を調査し、そのうえで春日様の御役人様の検分を受けるという方法が取られてきました。しかし、このやり方だと、御役人様の検分が済むまで、稲を刈り取ることができず、その間に洪水が起こって、一夜にして稲が駄目になってしまう危険があります。そうなっては、春日様の損失であるとともに、百姓たちもますます困窮してしまいます。

そこで、百姓たちを救うためと思って、引き続き定免としてくださるようお願い申し上げます。もしお認めいただければ、少々の日照りや出水、大風などで作物に被害が出ても、あらかじめ決められた年貢額を期限どおりに上納します。ただし、広範囲にわたる大災害が発生した場合には、御役人様に検分していただき、そのうえで年貢の減免をお願いしたいと思います。

この願いを認めていただければ、大勢の百姓が助かり、ありがたき幸せに存じます。

ここでは、まず願書の冒頭にある「定免」から説明しましょう。江戸時代における年貢額の決め方には、領主ごと、時代ごとに多様なバリエーションがありましたが、もっともポピュラーだったのは検見《けみ》法と定免法でした。検見法とは、毎年秋に領主の役人が村に来て、一部の田の稲を刈り取って実際に作柄を確認したうえで（これが検見です）、作柄に応じてその年の年貢額を決める方法です。検見法では、作柄によって、年貢額は年々増減します。

一方、定免法は、豊凶に関係なく、過去三〜一〇年くらいの年貢額を基準として、以後毎年定額の年貢を賦課する方法です。定免法を適用する期間を定免年季《じょうめんねんき》といいました。定免法では、豊作で実際の収穫量があらかじめ決められた年貢額を上回れば、その分は百姓の収益になります。反対に、不作で実際の収穫量があらかじめ決められた年貢額を下回れば、その分は百姓の損失になります。その点で、検見法と定免法のどちらが百姓にとって有利かは一概にはいえません。定免の年貢額がどの程度の水準かということも問題になります。

ただし、先の願書にもあるように、検見法では領主役人の検分を待つ間に災害が発生し、せっかく実った稲が被害を受ける危険性があります。また、村側では、来村する領主役人の接待にも気を使わなければなりません。百姓たちにとっては、領主役人が来る前に予備調査をしたり、来村した領主役人を案内したりと、いろいろ手間がかかります。検分に手間がかかるという点は、領主側も同じです。これらは、定免法のデメリットです。

さらに、先の願書に、「広範囲にわたる大災害が発生した場合には、御役人様に検分していただき、そのうえで年貢の減免をお願いしたいと思います」とあるように、定免法では、大災害の場合には臨時に検見が行なわれて減免が認められました。定免年季中は、決められた額以上の年貢の増額がない一方で、減額はあり得たのです（定免年季の更新時に増額されることはありましたが）。

このように、定免法は、そこで定められた年貢額が極端に高額でない限り、百姓側にとってはどちらかといえばメリットが多かったのです。領主側にとっても、定免法は、検分の手間が省けることに加えて、大災害がない限り、毎年安定した年貢収入が得られるというメリットがありました。

そこで、幸谷村春日氏領でも、百姓たちは定免を願ったのです。春日氏領では、一八世紀前半まではずっと検見法が採用されていましたが、延享《えんきょう》四年（一七四七）に初めて定免法が採用されました。それから宝暦《ほうれき》六年（一七五六）までの一〇年間定免法が続きました。ところが、宝暦七年には検見法に戻ったため、翌宝暦八年に百姓たちが定免の復活を願ったのです。

この願いはすぐには認められませんでしたが、宝暦一一年には定免法が復活しました。このときの年貢額は米一二石九斗余、永《えい》二貫二七三文余でした。そして、以後幕末まで定免法が継続されました。また、百姓たちの要求どおり、災害があった年には年貢の減免が認められています（減免された年はかなりあります）。このように、江戸時代の年貢は、領主が一方的に額や徴収方法を決めて百姓に強制するというものではなく、額や徴収方法について百姓たちの意向が一定程度反映されていたのです。

❖個々の百姓の年貢額は村が確定する

領主と村との間では、年貢の取り方をめぐって上記のようなやり取りがなされたわけですが、村のなかでも年貢の公平な賦課・徴収に関して名主と村人の間でやり取りが行なわれました。その際に作成された文書を、【古文書を読む　その1】として次に掲載します。

❖古文書を読む　その1（この文書は、『松戸市古文書目録』には収録されていません）

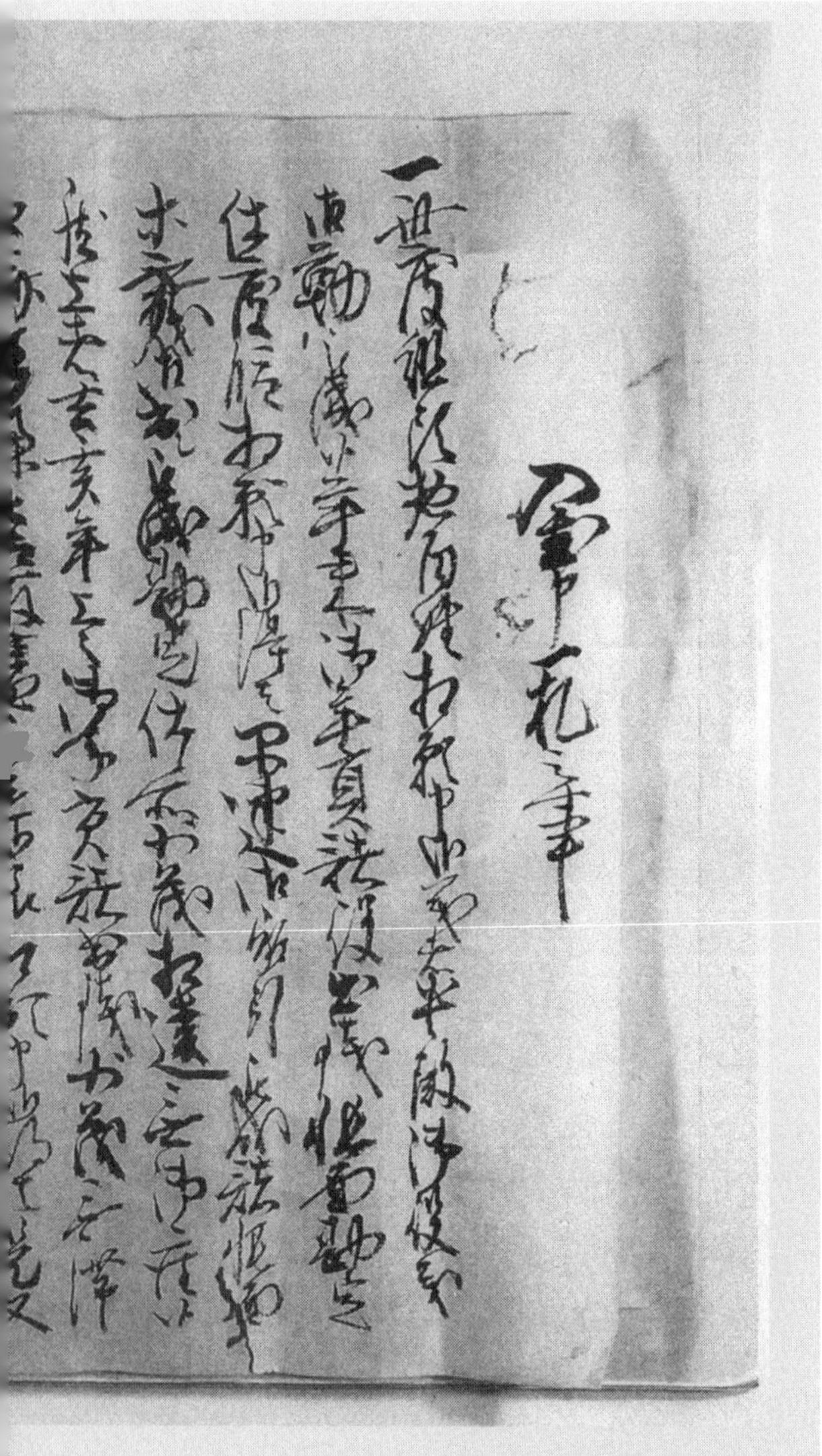

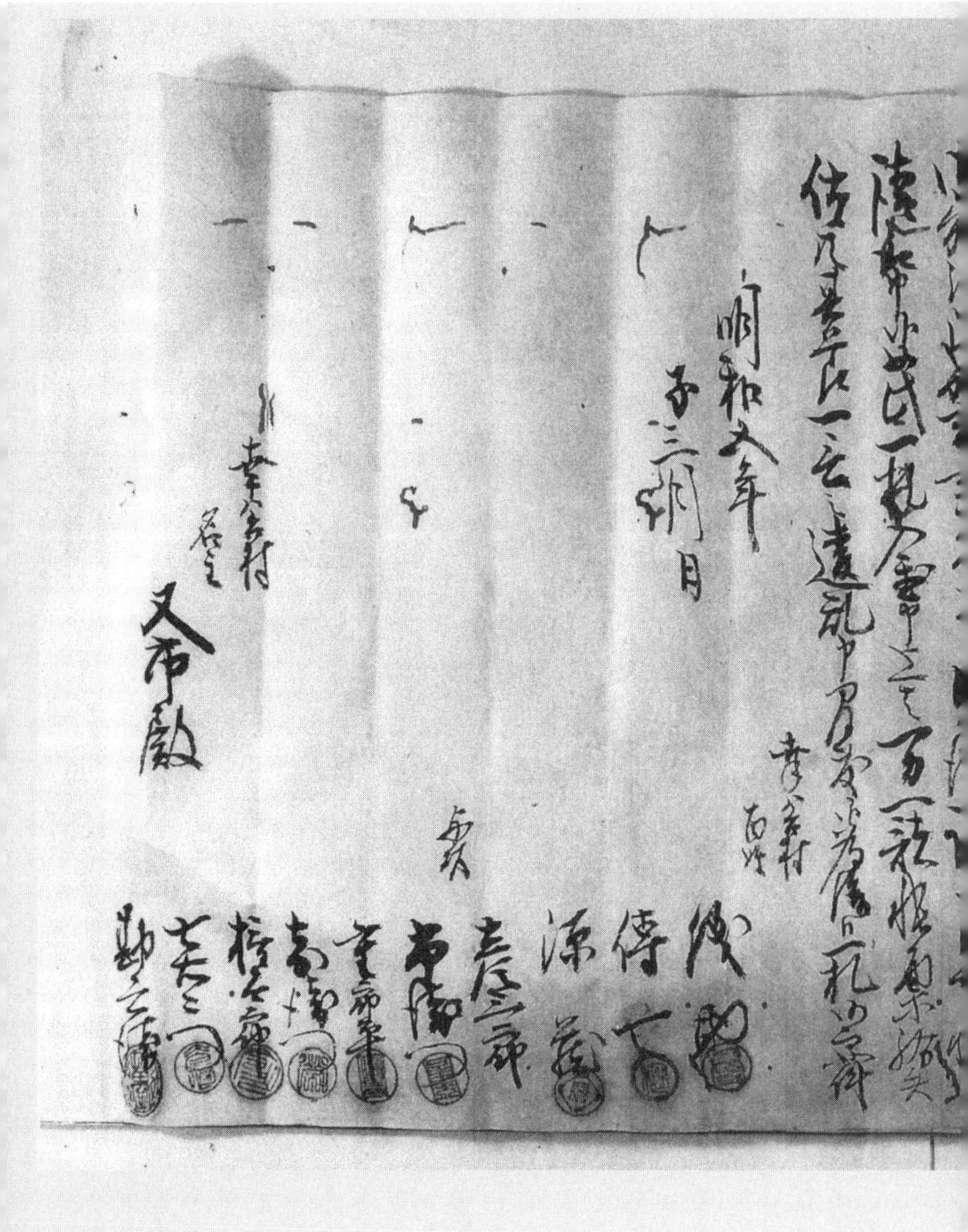

【翻刻】

入置申一札之事

一此度組頭惣百姓相願申候義者貴殿御役義
御勤之儀候年来御年貢諸役出銭帳面勘定
仕度段相願申候得者早速御承引被成諸帳面
等不残御出し被成勘定仕候所少茂相違無御座候
然上者去亥年迄之御年貢諸出銭少茂無滞
相済皆済請取書被遣候様相願申候得者是又
御承引被成去亥年迄之皆済請取被遣慥ニ
請取申候如此一札入置申上者万一諸帳面等紛失
仕候共其節一言之違乱申間敷候為後日一札仍而如件

明和五年

子三月日

幸谷村

百姓

儀　助㊞

伝　七㊞

源　蔵㊞

彦三郎

与頭《くみがしら》
市衛門㊞
重郎平㊞
嘉衛門㊞
権太郎㊞
七右衛門㊞
勘兵衛㊞

幸谷村
名主
又市殿

【読み下し】

入れ置き申す一札《いっさつ》の事

一《ひとつ》、このたび組頭・惣百姓《そうびゃくしょう》あい願い申し候《そうろう》義は、貴殿御役義(儀)御勤めの儀に候。年来御年貢・諸役出銭《しょやくしゅっせん》帳面勘定仕《つかまつ》りたき段あい願い申し候えば、早速御承引成《ごしょういんな》され、諸帳面等残らず御出し成され勘定仕り候ところ、少しも相違ござなく候。しかる上は去る亥年《いどし》迄の御年貢・諸出銭少しも滞りなくあい済み皆済請取書《かいさいうけとりしょ》遣わされ候ようあい願い申し候えば、是又《これまた》御承引成され、去亥年迄の皆済請取遣わされ、慥《たしか》に請け取り申し候。かくの如《ごと》くこの一札入れ置き申す上は、万一諸帳面等紛失仕り候とも、その節《せつ》一言の違乱《いらん》申すまじく候。後日のため一札よって件《くだん》のごとし。

明和《めいわ》五年

子《ね》三月日

幸谷村

百姓

儀《ぎ》　助《すけ》

（後　略）

【現代語訳】

入れ置き申す一札の事

一、このたび組頭・惣百姓（春日氏領の戸主全員）からお願い申し上げたのは、あなた（名主又市）が務めている名主の職務に関わることでした。すなわち、あなたが年来、年貢をはじめわれわれ（組頭・惣百姓）のさまざまな負担・支出の金額等を記録してきた帳面類の記載内容を確認させてほしいとお願いしました。すると、あなたは早速御承諾くださり、お持ちの帳面を残らず見せてくださいました。そこで、私どもが帳面に記載された数値に間違いがないかどうか計算し直したところ、少しも間違いありませんでした。

そのうえで、われわれが去年（明和四年）まで年貢やその他の負担を少しも滞納することなく全額納めており、あなたがそれを確かに受け取ったという証明書（皆済請取書）をい

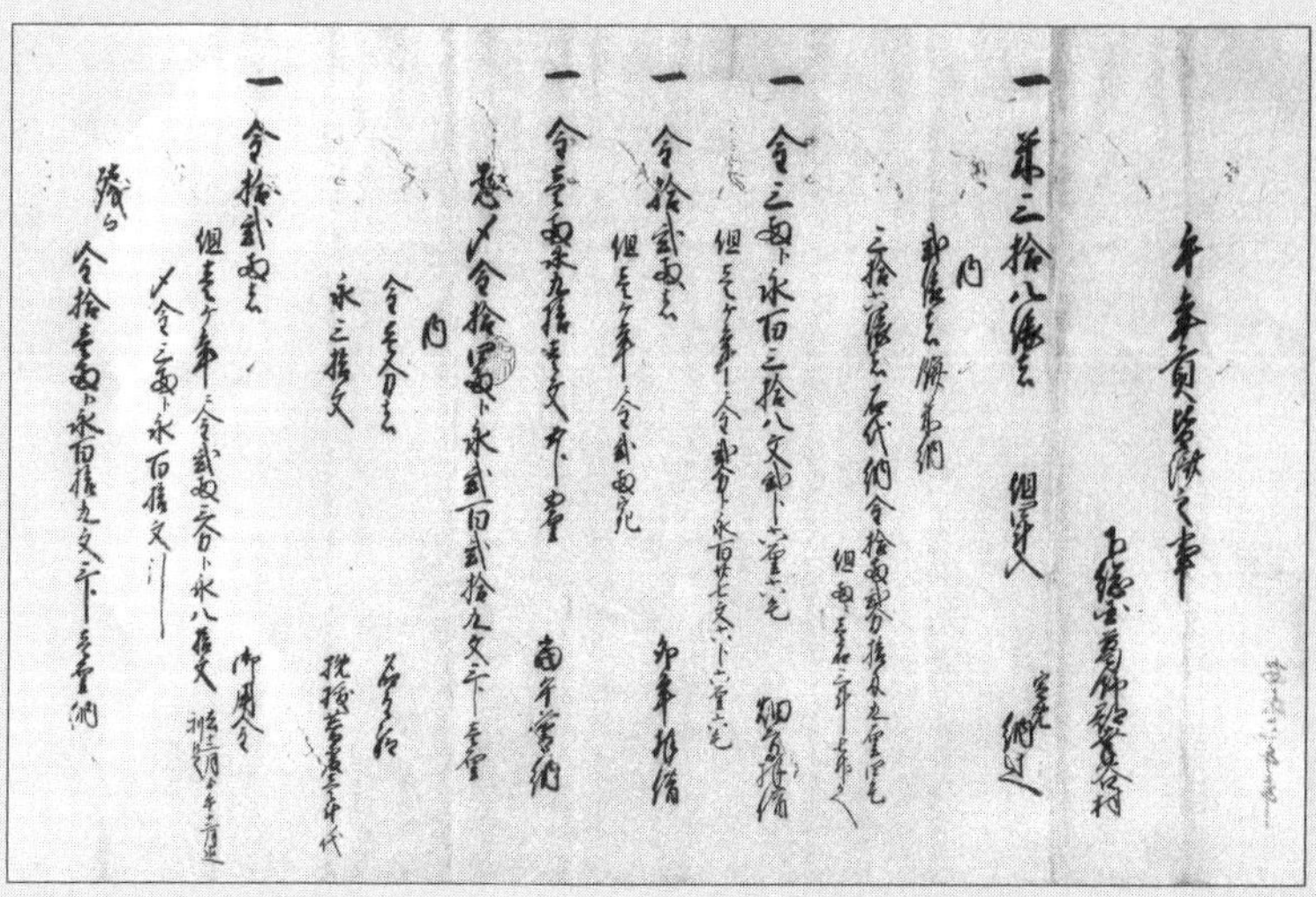

❷　安永三年（一七七四）の年貢皆済目録（部分）

ただきたいとお願いしました。すると、あなたはそれについても御承諾くださり、われわれはあなたから確かに「皆済請取書」を受け取りました。

そこで、このとおり、その旨を記した一札（一通の文書）をあなたにお渡しします。このうえは、万一あなたが帳面類を紛失するようなことがあっても、その記載内容に関して一切疑義は申し立てません。後日のため、このとおり一札を差し出します。

【解説】

第一章で述べたように、江戸時代には、年貢などの諸税は、領主から個々の百姓に対して直接賦課されたわけではありません。江戸時代には、年貢などは村全体でまとめて納入する制度になっていました。これを、村請制《むらうけせい》といいます。

領主は毎年、村（この場合は幸谷村のなかの春日氏領）に対して納めるべき年貢・諸役（年貢以外のさまざまな負担）の総額を示すだけで、あとは名主を中心に村人たちが自主的に各自の負担額を確定し、名主が村全体の年貢・諸役を取りまとめて領主に上納したのです。

この文書は、明和五年（一七六八）に、春日氏領の百姓たちが、名主又市の年貢・諸役の徴収・納入業務が適正に行なわれてきたかどうかを監査した結果を記したものです。監査の結果、又市の徴税業務は適切に行なわれており、百姓の側にも滞納等の問題がなかったことが確認されました。そして、後日この件で疑惑が生じることを避けるために、又市から個々の百姓に、彼らが年貢を皆済していることを証明する文書が渡され、百姓たちから又市にはこの文書が差し出されたのです。そうやって、互いに納税に関して問題のないことを確認し合ったのです。

❖文書から見えてくる百姓たちの権利と能力

その後、安永《あんえい》三年（一七七四）にも、春日氏領の百姓八人と組頭一人が集まって、同年までの連年の年貢・諸出銭を記載した帳面（おそらく明和五年以降のものでしょう）を又市から見せてもらい、その記載内容をチェックしています。その結果、又市が行なった計算に間違いなかったことが確認されました。また、このとき百姓たちは、①又市が、毎年春日氏から村宛に年貢の納付通知書（これを年貢割付状《ねんぐわりつけじょう》といいます）が来ると、それを戸主全員に見せたうえで、戸主たちの立会のもとで各戸の年貢負担額を決めていたこと、②百姓たちがその年の年貢を納め終わったあとで春日氏から村宛に渡される皆済証明書（これを年貢皆《ねんぐかい》済目録《さいもくろく》といいます。四九頁の❷）も戸主たちに見せていたこと、をあらためて確認しています。こうして、又市の名主としての職務が適正に遂行されていたことがはっきりしました。

年貢をめぐる問題は、本来、領主と百姓の間の問題です。しかし、江戸時代には村請制が行なわれていたため、それが名主と百姓の間の問題になっているのです。名主は、年貢の賦課・徴収の実務を担う責任者でした。そこで、名主は、百姓とのトラブルを未然に防止するために、毎年、年貢の賦課・徴収に関する帳簿を作成し、それを大事に保存していました。そして、百姓たちから請求があったときには、彼らに帳簿を公開したのです。名主には、領主から村（この場合は幸谷村春日氏領）に賦課された年貢を、各戸に正しく割り当てて徴収する義務があり、そのために高度な計算能力・事務処理能力が求められました。

一方、一般の百姓の側も、名主から開示された帳簿の記載内容に誤りがないかどうか確認するためには、それ相応の識字力・計算能力をもっていなければなりません。実際、江戸時代のかなりの百姓たちは、自ら帳簿を作成したり、その内容を理解したりする能力をもっていました。名主・百姓たちが、その能力を活かして大量の文書を作成し残してくれたおかげで、われわれ現代人が江戸時代の村の姿をリアルに知ることができるのです。

年貢関係の帳簿は、村の公文書です。公文書は、百姓の利害に深く関わり、百姓の権利を保障してくれる財産でした。そうした公文書をきちんと作成・保存し、必要に応じて公開することの重要性は、江戸時代も今も変わりありません。

❖自主的に定めた村の掟

ここまで領主と村・百姓の関係をみてきましたが、一方、村人たちは領主の関知しないところで、自主的にルールを定めて村の秩序を維持していました。そのルールを、村掟《むらおきて》といいます。次に、そうした村掟の内容をご紹介しましょう。

宝暦一一年（一七六一）四月に、三給（三人の領主）の村役人が村の全戸主を呼び寄せました。戸主たちが何事かと思って集まったところ、村役人から「村人のなかに、自宅を博奕《ばくち》（博打）の会場（宿《やど》といいます）に提供した者がいるという情報がある。本当ならば不届き至極なので、詮議しなければならない」と言われました。江戸時代には、博奕は厳禁です。発覚すれば、処罰は免れません。

戸主たちは驚いて、「そのような不届き者はけっしておりません」と口々に弁解しました。村役人は一応それを了承しましたが、今後の事を考えて、次のように申し渡しました。「以後、博奕などの賭け事に場所を提供した者がいたら、その隣家の者がすぐに村役人に訴え出よ。もし隠し置いてほかから露顕した場合には、罰金として、宿を提供した者からは銭《ぜに》五貫《かん》、宿の両隣の者からは銭一貫ずつを徴収する」。

戸主たちは、村役人の申し渡しを了承し、もし以後博奕を行なうようなことがあったら、罰金はもちろん、さらにどのような処分を受けようとも従うと約束しました。そして、その旨を記した文書に全戸主四三人が署名捺印して三給の村役人に提出することで、この問題は収まったのでした。

以上のいきさつからは、博奕の禁止といった村全体に関わる問題については、領主の別を超えて、村全体で対処していることがわかります。また、博奕が行なわれた場合に、それをすぐ領主に報告して、領主の手で裁いてもらうのではなく、村で独自に裁こうとしている点も重要です。村の秩序は村が独自に維持するという姿勢が表れているからです。問題が村の手に余ったときに、初めて領主の出番になるわけです。ここに、村の問題は村で解決するという、村の自治の力をみてとれます。

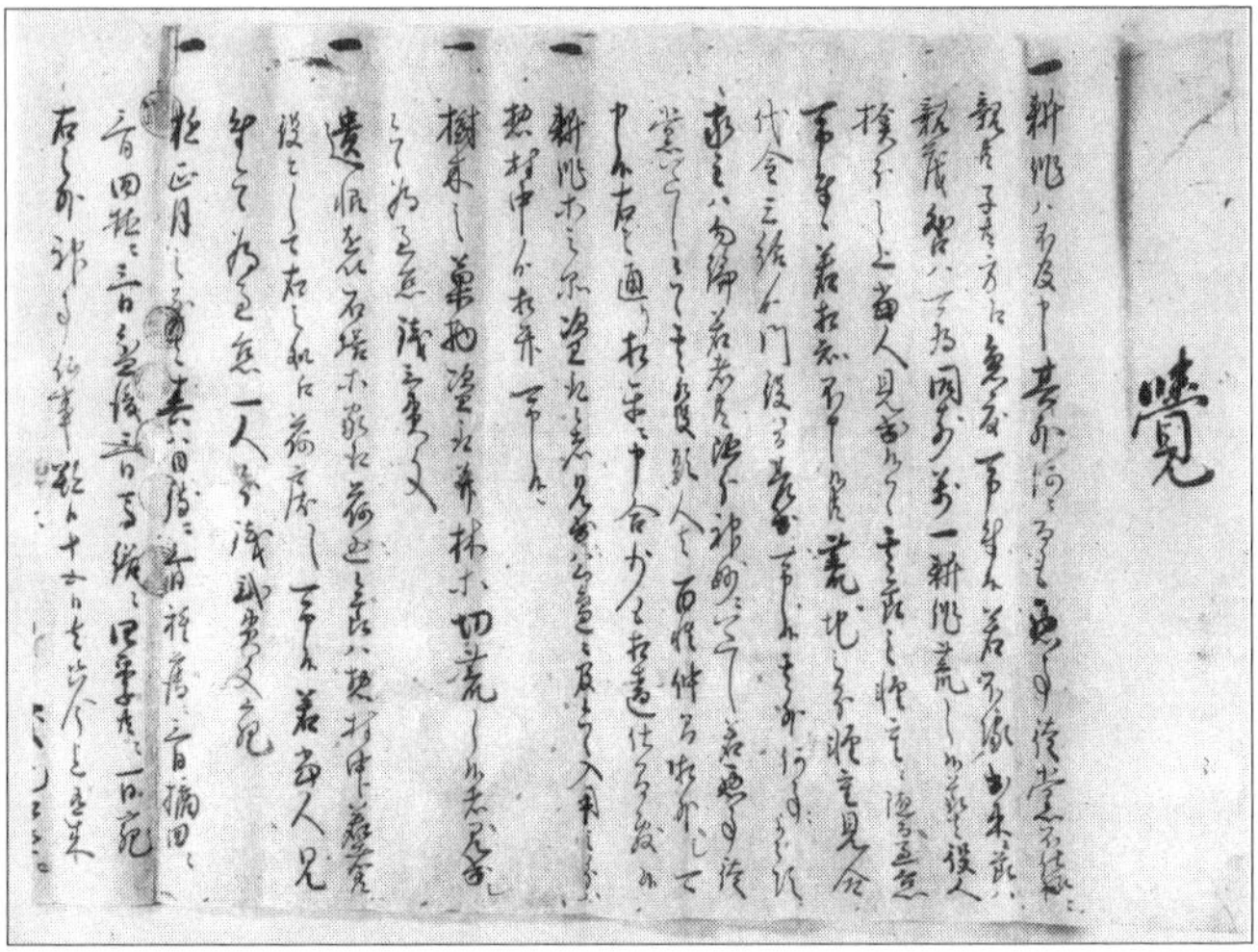

❸ 明和四年（一七六七）の村掟（部分）

❖村掟から読みとれる生活様式

幸谷村の村人たちがつくった村掟を、さらにみていきましょう。明和四年（一七六七）八月には、幸谷村の戸主四三人・組頭四人と紋右衛門《もんえもん》（曲淵氏領の名主）・磯右衛門《いそえもん》（古田氏領の名主）から又市《またいち》（春日氏領の名主、酒井家当主）に宛てて、一通の「覚《おぼえ》」と題された文書が差し出されました。幸谷村では、三給のそれぞれに、名主以下の村役人が置かれていました。

差出人に名を連ねた人たちは、幸谷村の全戸の戸主たちであり、これは三給の全体に関わる村掟です。そこには、以下のような内容が記されていました。なお、各箇条の冒頭の丸番号は私が便宜的に付けたものです。

①一、《ひとつ》耕作に励むことはもとより、悪事をしたり、徒党《ととう》（ある事をたくらんで集まった集団）を組んだりしないように、親が子にしっかり言い聞かせなければならない。もし、子どもに不埒《ふらち》な行ないがあったときは、親も同罪とする。

万一、作物荒らし（田畑に植わっている作物を盗むこと）があったときは、村役人が検分し、犯人がわかれば罪の程度に応じて処罰する。犯人がわからない場合は、作物荒らしの程度に応じて、三給の百姓が各戸平等に金銭を出して、被害者に弁償する。

そのほか何事によらず、戸主はもちろん若者たちも随分行ないを慎むこと。もし、悪事をしたり、徒党を組んだりしたならば、その先導者は百姓仲間《ひゃくしょうなかま》を外《はず》すこととする。このように互いに申し合わせ、少しも違反しないようにする。

②一、農作物の盗難を見つけた者が、その件で幕府や領主の裁判に関わることになった場合は、かかった費用は村全体で負担する。

③一、木になった果物を盗んだり、林の木を伐り荒らしたりした者が見つかった場合は、罰金として銭《ぜに》三貫《かん》を出させる。

④一、遺恨を含む相手の家に石塔《せきとう》などを運び込む者がいた場合は、村全体の若者たちの役目として、石塔を元の場所に戻すこと。もし、石塔を運び込んだ者が判明した場合は、罰金として一人当たり銭二貫ずつを出させる。

⑤一、「遊び正月《しょうがつ》」は、春は日待《ひまち》に三日、種蒔《たねまき》に三日、摘田《つみた》に三日、田植えに三日、盆《ぼん》後《ご》に三日、そして馬繕《うまつくろ》い（馬の手入れ）に四季ともに一日ずつとする。それ以外に、神事・仏事と、毎月一日・一五日の休みはこれまで通りとする。万一、「正月」のうちにやむを得ない事情で働く者がいても、互いにあれこれと非難したりしない。

以上の点を、三給の名主・村役人・五人組・惣百姓《そうびゃくしょう》（戸主全員）が相談して取り決めたからには、互いに念を入れて違反しないようにする。そのために、惣百姓が連印するものである。

この村掟の①条（一条目）は、親の教育責任を定めたものです。とりわけ、農業の精励と悪事・徒党の禁止について、しっかり教育するよう求めています。

農業を基幹産業とする村にあっては、農作物を盗むことは重大犯罪です。そのため、①条と②条では、その対策を定めています。盗難事件が起こったときは、村役人が捜査し、犯人がわかれば応分の処罰を科すこととしています（たぶん罰金等でしょう）。殺人などは別として、盗難の場合は、即座に領主に届けることなく、まずは村人たちが捜査や処罰を自主的に行なうのです。江戸時代の村は、犯罪捜査権・裁判権・処罰権をもっていました。そして、犯人が判明しない場合は、村の全戸が同じ額を支出して被害者に補償するとしているのも特徴的です。

また、悪事・徒党の首謀者は「百姓仲間を外す」とされています。いわゆる「村八分《むらはちぶ》」です。村人たちが、首謀者を百姓たちの仲間から排除・除名するのです。以後は、村人同士の付き合いや協力をしないわけです。

村人たちは、生活の基盤を村に置いていますし、農業生産も村で行なっています。職住一致の環境で、生活と生産の大部分を村内で営んでいたのです。そして、農業に不可欠な農業用水の利用や、共有の入会地《いりあいち》（林野）の利用に関しては、ほかの村人たちと協力・協調することが不可欠でした。冠婚葬祭も、村人たちの協力なしには行なえませんでした。

そうしたなかで、百姓仲間を外されるというのは、外された当人にとっては死活問題でした。「百姓仲間を外す」という罰則は、きわめて重い意味をもっていたのです。

②条は、盗難事件が幕府や領主によって裁かれることになった場合の対応を定めたものです。①条にあるように、盗難事件はまずは村で捜査します。しかし、犯人が他村の者だとわかった場合、犯人が幕府領の領民ならば幕府が、大名・旗本の領民ならばその領主が、それぞれ裁きます。その際、犯人を見つけた幸谷村の村人が、証人として呼び出されることもあります。裁判のために、江戸まで行かなければならないこともありました。そうした際にかかった旅費などは、当人負担ではなく、村全体で負担すると定めているのです。このように定めておかないと、負担を嫌って、盗みを見逃す者が出てくる可能性があったからです。

③条は、田畑の作物ではなく、他人所有の果樹や樹木、あるいは村の入会《いりあい》林野（共有地）に無断で手を出した場合の罰則規定です。ここでは、銭三貫と罰金の額が明示されています。

④条は、嫌がらせ行為の罰則規定です。ここで想定されている嫌がらせ行為は、気に入らない者の家の敷地によそから石造物を運び込んで放置するというものです。石は重いですから、運び込まれた側は、それを撤去するのに苦労することになります。この村掟では、こうした嫌がらせ行為があった場合、被害者宅の原状回復は、村の若者たちの役目とされています。力仕事は若者たちに任せるということもあるでしょうが、嫌がらせ行為の犯人は血気盛んな若者のことが多かったという事情があるのかもしれません。

⑤条の「遊び正月」とは、農作業を休む休日のことです（元旦には限られません）。今日では、日曜日や祝日などは全国一律に定められ、それに企業や学校の独自の休業日が付加されるかたちになっています。それに対して、江戸時代には全国一律に定められた休日はありませんでした。しかし、一年中休みなしに働き続けることはできません。そこで、村ごとに、村人たちが相談して、適宜年間の休日を決めていたのです。元旦などはどこの村でも休みましたが、それ以外は各村の事情と意向に任されていました。そのため、隣り合う村同士でも休日が異なっていたのです。

幸谷村では、毎月一日と一五日は休みで、鎮守（村の守り神）の祭礼など神仏の行事がある日も休日でした。それに加えて、春の日待、種蒔、摘田、田植え、盆後、馬繕いなどの際に休日が設けられています。

日待とは、村人たちがどこか一軒の家に集まり、一晩中寝ずに起きていて、日の出を待って拝む信仰行事です。その際、酒や食事が出て親睦を深めることも多かったのです。

摘田とは、水の多い水田などで、別に苗代《なわしろ》を作らず、田にじかに籾《もみ》を蒔き、苗になってから多すぎる所を適宜に間引きする田のことです。幸谷村には一部にこうした摘田があり、そこでの農作業が一段落したところで三日間休むのです。

摘田ではなく、苗代から苗を移植する田に関しては、苗代への播種《はしゅ》（種まき）と田植えの後にそれぞれ三日ずつ休みが設けられています。

盆（お盆）とは、盂蘭盆《うらぼん》の略で、先祖の霊を供養する仏教行事です。太陰太陽暦（江戸時代の暦）の七月一三日～一五日を中心に行なわれ、種々の供物《くもつ》を先祖の霊に供えて冥福を祈ります。このとき、人びとは墓参を行ない、僧侶は檀家の家々を回って読経《どきょう》します。また、馬繕いに充てるため、春夏秋冬各一日ずつが休みとされています。

このように、幸谷村の村人たちは、毎月一日と一五日の定例休日と、信仰・農作業の日程に即した休日とを組み合わせて、一年間の生活にメリハリをつけていたのです。

加えて、休日に働く者を非難しないこととされています。働くべき日に怠けている者が非難されるのは当然ですが、逆に村全体で決めた休みの日に、自分だけ働いている者が批判されることもあったのです。それを、やむを得ない事情（農作業の遅れなど）がある場合は大目に見ようというのです。

なお、明和四年（一七六七）には、この村掟制定のきっかけとなったと思われる事件が起こっています。二度にわたって、又市の畑が荒らされたのです。村人たち自身の捜査では犯人がわからなかったため、又市は幕府に訴え出ようとしました。しかし、そうなると大ごとです。そこで、村人たちは又市に詫びを入れて、同年八月に、村の全戸主四九人と福昌寺の住職が連名で、以後このようなことが起こらないよう相互に気をつけることと、万一今後畑荒らしがあった場合は村全体で解決することを約束した文書を又市に差し出しました。これを受けて、又市は、幕府への訴訟や犯人捜しを見合わせました。一方、村人たちの側は、村の規律維持のために、ほかの事項も加えて、前記のような村掟を制定し、末永く村の規範にしようとしたのでしょう。

❖作物の盗難を防ぐために講じられた対策

安永《あんえい》九年（一七八〇）八月には、また三給の村役人が惣百姓に会合を呼びかけました。議題は、稲の盗難防止策です。旧暦の八月はほぼ今の九月、田ではちょうど稲が実るころです。ところが、一昨年（安永七年）から、村では作物などの盗難事件が頻発していました。

そこで、村役人たちは集まった百姓たちに次のように提案しました。

明和四年八月に村掟を定めたが（これが前述の村掟です）、近年はそれが守られなくなっており、一昨年からは作物の盗難が相次いで、村人たちが難儀している。ついては、村の各所に番小屋《ばんごや》（夜番《よばん》の者が使用する警備施設）を建てて、小屋の近くに住む者が数人ずつ組合をつくり、夜番をするようにしたい。

百姓たちもこの提案に同意して、以後は毎晩数人ずつ、交代で夜番をすることになりました。そして、それでも稲の盗難が起こったときは、その日夜番に当たっていた者に事情を聞き、夜番の者の警備の怠慢が明らかになった場合には、夜番の者が盗まれた稲を弁償することになりました。

以上のことを記した一札が、村役人八人・惣百姓四二人から名主又市に宛てて差し出されています。おそらく、同時に、同内容の一札が曲淵・古田両氏領の名主に宛てても出されたと思われます。こうして、村をあげての防犯体制が取り決められたのでした。

第三章 なぜ年貢をめぐって村人同士が争ったのか。

❖領主からの負担をめぐる村内対立

本章では、文政《ぶんせい》六年（一八二三）に起こった、村人同士の対立について述べていきます。争点は、年貢など領主からの負担をめぐる問題です。年貢は、江戸時代の村人たちにとっては最大の負担です。したがって、年貢をはじめとする諸負担の賦課・徴収のやり方をめぐっては村内で意見の対立が起こりやすく、それは対立する双方の側にとってきわめて切実な問題でした。

この対立は文政五年の暮に発端があったようですが、文政六年一月にいたって表面化しました。文政六年一月に、春日氏領に土地を所持する百姓たち一八人が、組頭の喜左衛門《きざえもん》と杢左衛門《もくざえもん》、百姓代の常右衛門《つねえもん》を代表に立てて、春日氏に次のように訴え出たのです（※1）。彼らの訴状の内容を、次に示しましょう。

（春日氏領の）名主の四郎兵衛《しろべえ》殿が病気のため、子息の久八《きゅうはち》殿が殿様（春日氏）から名主見習いを命じられて、これまで名主の職務を代行してきました。ところが、久八殿が、幕府から貸し付けられた金二両を不当にも上納（返済）しなかったため、殿様からお咎めを受けてしまいました。そこで、このたび、久八殿に代わって、また四郎兵衛殿が名主の職務を行なうことになりました。しかし、私ども（一八人の百姓たち）は、四郎兵衛殿が名主では心元ないと思っており、年貢なども安心して上納することができません。

一〇年ほど前に、江戸にある殿様の御屋敷が火事で焼失してしまいました。そのとき、百姓たちが御見舞金として金三両を集めて、四郎兵衛殿に渡しました。しかし、四郎兵衛殿がその三両を本当に殿様に上納してくれたかどうか不安なので、この点をお伺いします。

また、御屋敷焼失の際には、先の御見舞金とは別に、御屋敷の再建費用として金二〇両を上納するようにと、石田林右衛門《りんえもん》様（春日氏の家臣）から四郎兵衛殿に命じられました（※2）。ところが、四郎兵衛が、出金に関して百姓たちに、「金を出したい者は出せばよい」などという言い方をしたので、誰も出金しませんでした。

すると、四郎兵衛の言うのとは異なり、石田林右衛門様は、四郎兵衛をはじめ九人の百姓を江戸に呼び出して、出金を強くお求めになりました。そこで、九人の百姓たちは、やむなく所持地を質入れして借金し、何とか金二〇両を上納しました。その後、殿様から四郎兵衛に、いくらか返金があったようですが、四郎兵衛はそれを出金した八人（四郎兵衛を除く）にはまったく割り戻してくれません。どうか、四郎兵衛に割戻しを命じてください。

ほかにも、百姓たちから殿様への上納金（※3）のうちで、いまだに返済されていいないものがあります。これも、本当に返済されていないのか、それとも返済されたのに、四郎兵衛がそれを百姓たちに割り戻していないのか、事実を確認したいと存じます。
去る文政三年に、殿様から、百姓の生活を援助するために、玄米一八俵が支給されました。それを、四郎兵衛が百姓たちに分配しましたが、一八俵のうち二俵一斗二升分がいまだに分配されていません。ところが、文政五年の暮になっても、四郎兵衛は「もう分配する米はない」などと言っています。どうか、四郎兵衛に残りの米を分配するよう命じてください。

すなわち、春日氏領に土地を所持する百姓たち一八人が、名主の四郎兵衛が百姓たちから集めた金を春日氏に上納せず、また春日氏から返済・下付された金・米を百姓たちに分配していないのではないかと疑惑を抱いて、春日氏にその確認と善処を求めたのです。この訴状では、最初は「四郎兵衛殿」と敬称をつけていたのに、途中から「四郎兵衛」と呼び捨てに変わっています。こんなところにも、百姓たちの四郎兵衛に対する不信感が表れているように思います。

※1　一八人のうちには、春日氏領の領民だけでなく、ほかの領主の領民で、春日氏領に土地を所持している者も含まれていたと思われます。

※2　この二〇両は、後日返金されることになっていました。領主が領民から、一時的に借用したわけです。
※3　これは百姓たちから春日氏への貸与であり、春日氏に返済の義務があります。

❶幸谷村春日氏領の「御年貢勘定取調帳」（表紙）
これは、天保一二年（一八四一）に、幸谷村でつくられた帳面で、同年に春日氏領から納めるべき年貢額の詳細が記されています。こうした文書類から、百姓たちの読み書き・計算能力の高さがみてとれます。

❖四郎兵衛を擁護する人たち

以上の訴えに接して、訴状の提出と同じ文政六年一月に、幸谷村の曲淵《まがりぶち》氏領の名主武左《ぶざ》衛門《えもん》（関家）と、春日氏領の組頭《くみがしら》又市（酒井家）が、幸谷村のもう一人の領主である古田氏の家臣根沢市郎兵衛《ねざわいちろべえ》に宛てて二通の願書を提出しています。

この争いは春日氏領の問題でしたが、その審理には古田氏の家臣根沢市郎兵衛が関与しているのです。武左衛門と又市が、この争いの審理を古田氏に求めたからです。そして、古田氏も、同じ幸谷村の領主同士のよしみで審理を引き受けています。春日氏領に土地を所持する百姓の多くが四郎兵衛を批判するという状況のなかで、四郎兵衛を擁護する立場の武左衛門と又市は、この争いに関しては第三者的立場にある古田氏に公正な審理を期待したのではないでしょうか。

武左衛門と又市の願書から、彼らの主張は以下のようにまとめられます。なお、武左衛門と又市はともに四郎兵衛の親類であり、それもあって二人は四郎兵衛の弁護に回っています。春日氏領のほかの多くの百姓たちとは異なり、又市は四郎兵衛の側に付いているのです。

名主四郎兵衛を糾弾する先頭に立っているのは、組頭杢左衛門・百姓代常右衛門・百姓代勘蔵《かんぞう》の三人であり、彼らは文政五年暮から四郎兵衛を辞めさせる相談をしています。しかし、四郎兵衛は一四、五年前から名主を勤続していますが、彼の名主役の務め方には何の問題もありません。

ところが、杢左衛門らは、四郎兵衛が、ここ三年間、年貢皆済目録《ねんぐかいさいもくろく》（※1）を百姓たちに見せず、皆済手形《かいさいてがた》（※2）を百姓たちに発行しないなど、四郎兵衛の年貢の賦課・徴収方法には疑念があると主張しています。そこで、武左衛門が、四郎兵衛の年貢の賦課・徴収方法には問題がないことを示す証拠書類を古田様に提出しました。

提出した書類のうち、「御年貢取立帳《おねんぐとりたてちょう》」（※3）は、百姓一同が立ち会って内容を確認したうえで、組頭杢左衛門と百姓代常右衛門が作成したものです。したがって、四郎兵衛が独断で年貢を賦課・徴収したわけではありません。また、百姓たちが四郎兵衛から皆済手形を受け取った際に、百姓たちから四郎兵衛に差し出した「請取書《うけとりしょ》」も提出します。さらに、年貢皆済目録も提出しますので、これと「御年貢取立帳」を突き合わせていただければ、四郎兵衛に問題がないことがはっきりします。四郎兵衛は年貢の賦課・徴収の実務を杢左衛門に任せており、四郎兵衛自身は直接関わっていないので、不正などをするはずがありません。

また、杢左衛門らが、文政三年に春日様から頂戴したとする玄米一八俵についても、彼らの主張には不審な点があります。総じて、杢左衛門らが事実と異なる主張をして、四郎兵衛を退役《たいやく》（辞職）させようとしているのです。どうか、杢左衛門らを厳しく吟味してください。

以上の武左衛門と又市の願書から、春日氏領の百姓たちは、先にみた主張に加えて、四郎兵衛の年貢の賦課・徴収方法についても疑惑を抱いていたことがわかります。それに対して、武左衛門と又市は、四郎兵衛の村運営に不正はないとして、その証拠となる各種の書類を提出しているのです。

※1　年貢皆済目録とは、毎年領主に対して年貢が皆済されたときに、領主から村（この場合は幸谷村春日氏領）宛に発行される皆済証明書です。

※2　皆済手形とは、個々の百姓が納めるべき年貢を全額名主に納め終えたときに、名主が発行する皆済証明書です。

※3　御年貢取立帳とは、村役人が作成する帳面で、今日現物は残っていませんが、そこには百姓各人の納めるべき年貢額や、実際に納めた日にちなどが記載されていたと思われます。

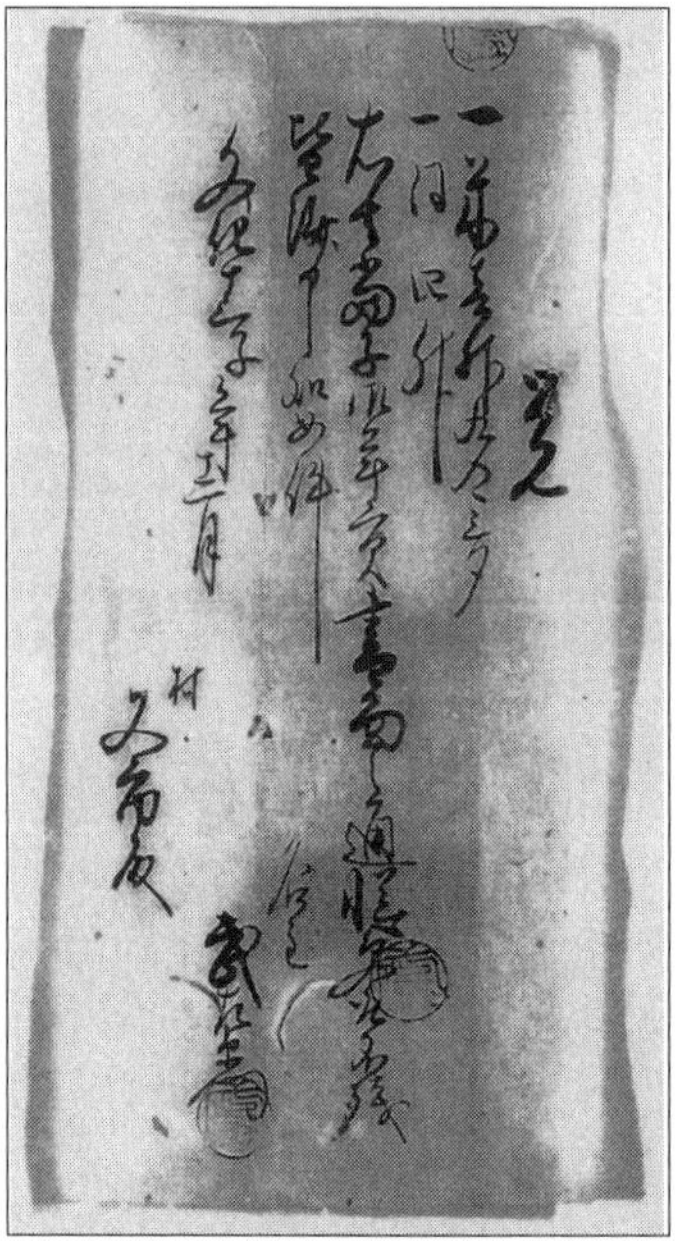

❷　年貢の皆済手形

これは、文化一三年（一八一六）に、幸谷村曲淵氏領の名主武左衛門（関家）が春日氏領の又市に当てて出した、同年分の年貢の皆済手形です。又市は、曲淵氏領にも耕地を所持していたため、そこにかかる年貢を武左衛門に納め、年貢を皆済した証拠としてこの手形を受け取ったのです。春日氏領においても、名主が同様の皆済手形を発行していたと思われます。

❖争いの決着と背景

では、この争いはどのように決着したのでしょうか。争いは、文政六年（一八二三）一月に、李左衛門らが、自分たちの主張には根拠がなかったことを認めて、訴えを取り下げたことで解決しました。出訴からひと月足らずでスピード解決したのです。それには、武左衛門らが、古田氏に証拠書類を提出したことが決定打になったと思われます。現代の裁判と同様に、証拠の有無によって主張の当否が判断されたのです。

こうして四郎兵衛の潔白は証明されましたが、この争いからほどなく四郎兵衛は名主を辞職したようです。文政七年一二月には、六郎右衛門《ろくろうえもん》が名主になっていることがわかるからです。

そして、春日氏領では一人だけ四郎兵衛を擁護した又市は、文政七年（一八二四）一〇月に、子の又市（子が親の名前を襲名しているのです）に組頭役を譲っています。その後、文政九年七月には、六郎右衛門が病気を理由に名主を辞任し、組頭又市が春日氏から後任の名主に任命されました。その際の任命書を【古文書を読む　その2】としてあげました。

ここで、文政六年の争いの背景にあった事情にもふれておきましょう。それを示すのが、文政九年六月に、組頭又市（この時点ではまだ組頭でした）・百姓代倉之助《くらのすけ》と百姓五人が、春日氏に提出した願書です。そこには、次のように記されていました。

文政四年から文政七年まで四年間凶作が続いたため、百姓たちは困窮しました。そこで、殿様（春日氏）に食糧や農作物の種を貸してくださるようお願いしましたが、認めていただけませんでした。そのため、百姓たちはますます困難な状況に陥りました。そうしたところに、文政八年四月以降、殿様から再三にわたって上納金を命じられました。困難をきわめている百姓たちは、仕方なく、村の福昌寺《ふくしょうじ》から借金したりしてその場をしのぎましたが、もはやこれ以上の上納は無理ですので、以後の上納金は免除してくださるようお願いします。

この願書から、争いの背景には連年の凶作があったことがわかります。江戸時代の農業技術は現在ほど発達していませんでしたから、気候変動や自然災害の影響はたいへん大きなものでした。凶作によって生活が苦しくなっていたため、年貢や上納金の負担は平常時よりもいっそう重く百姓たちにのしかかりました。そうした厳しい状況が、百姓たちが四郎兵衛の村運営のやり方に対して追及の矛先を向けた背景にあったのです。

もう一つの背景として、春日氏の対応があげられます。春日氏は、百姓たちの救済要求に応えられませんでした。それどころか、百姓たちに再三の上納金を命じました。そうしなければならないほど、春日氏の財政事情は火の車だったのです。一九世紀には、旗本たちはおしなべて財政難に苦しんでいました。こうした春日氏側の事情も、百姓たちの対立をもたらす背景となっていました。この春日氏の財政事情については、第五章でも取り上げます。

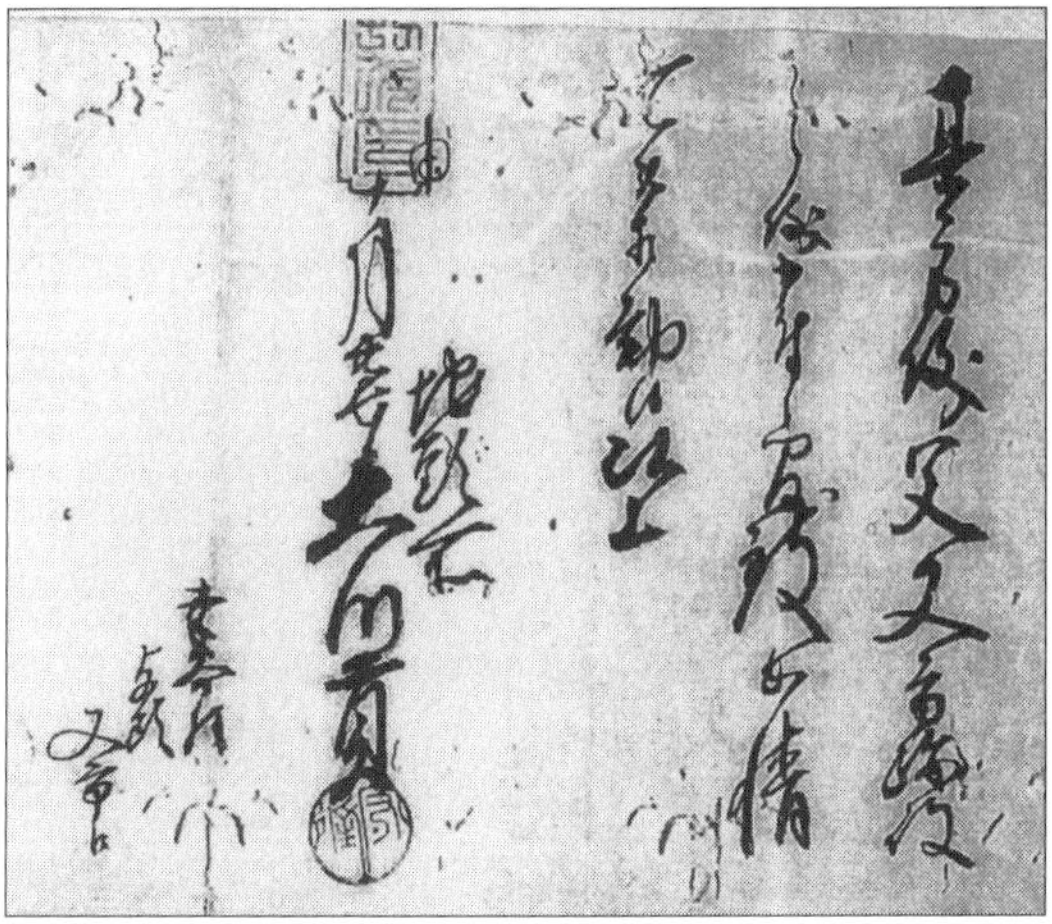

❸　又市への組頭役の任命書

文政七年（一八二四）一〇月に、春日氏の役人大川貢が、又市を、父又市の後任の組頭役に任命したときの任命書です。名主のみならず、組頭も領主が任命しています。また、酒井家の当主は代々、又市や市郎右衛門という同じ名前を受け継いでいました。

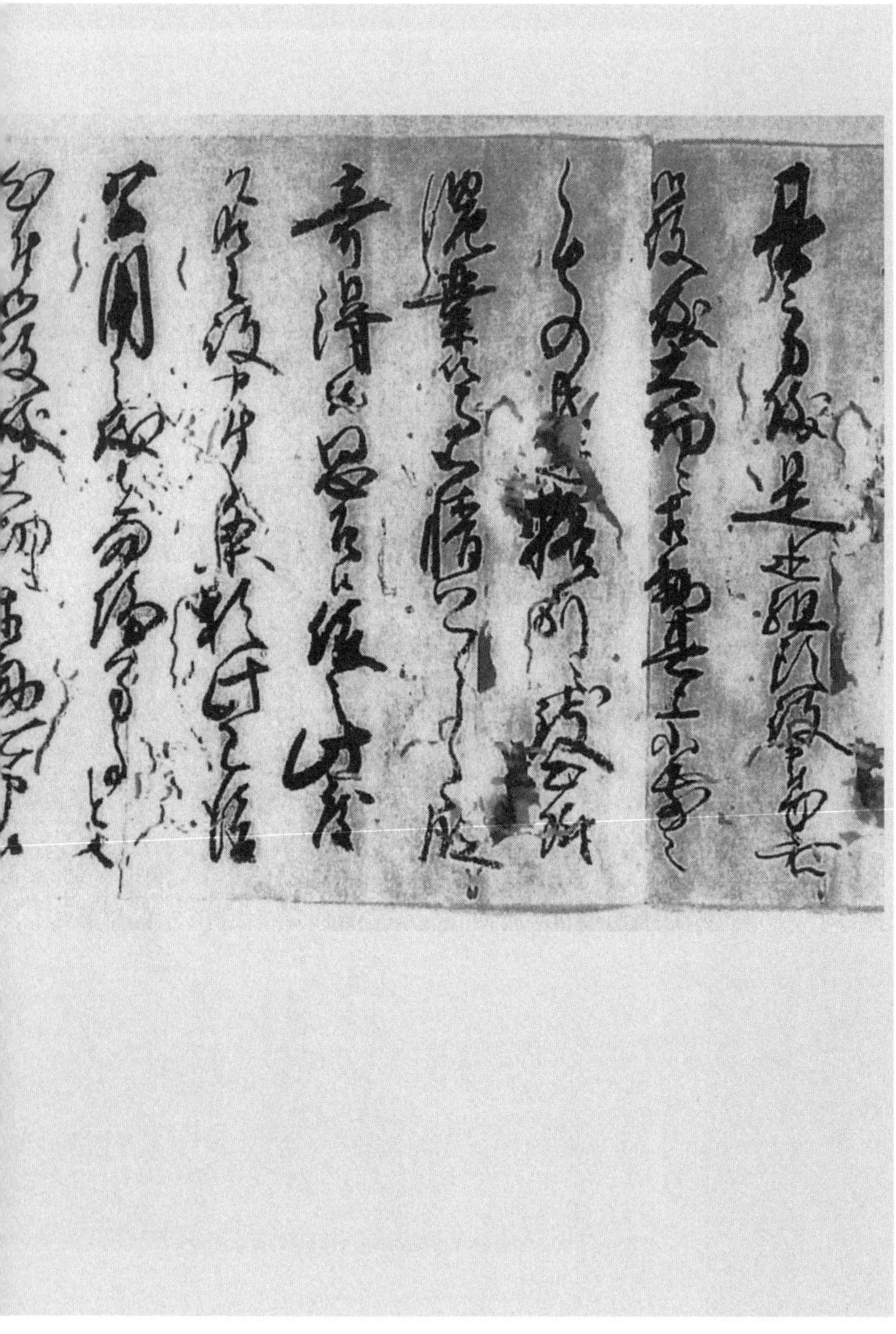

❖古文書を読む　その2（これは、『松戸市古文書目録（3）』の整理番号七二番の文書です）

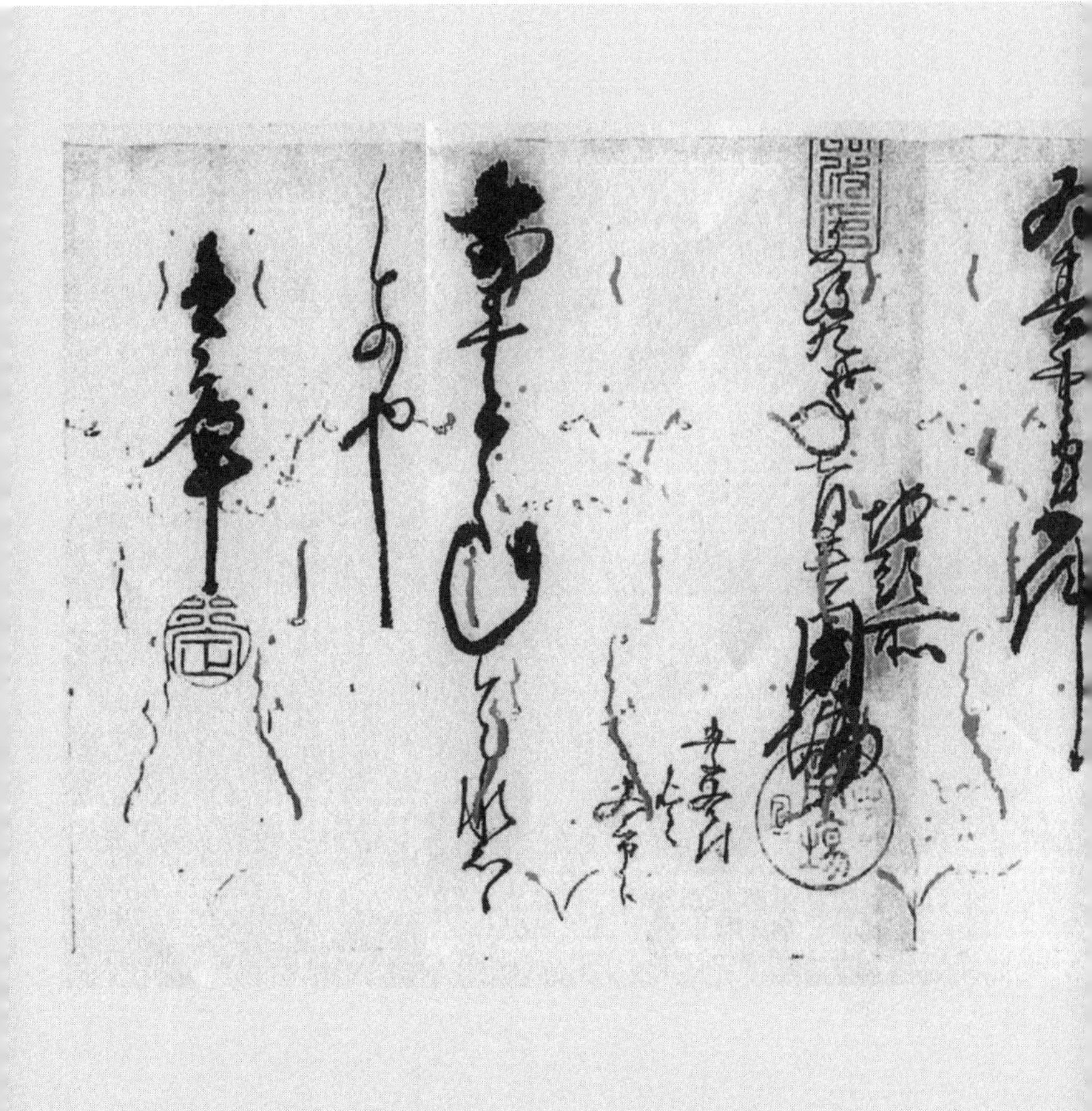

【翻刻】

其方儀是迄組頭役申付置候所
御役儀大切ニ相勤其上小前①之
もの共迄格別ニ致心附
農業等出情②いたし候段
奇得③被思召候依之此度
名主役申付候条猶此已後
公用之儀者勿論万事とも
心付御役儀大切ニ相勤可申候
為其書付如件

（割印）
文政九戌年七月廿《にじゅう》七日
地頭所
用場 ㊞

幸谷村
名主
又市江④

前書之趣令承知候
もの也
兵　庫　㊞

【読み下し】

その方《ほう》儀、これまで組頭役申し付け置き候《そうろう》ところ、
御役儀大切にあい勤め、そのうえ小前《こまえ》の
者どもまで格別に心付けいたし、
農業等出情《しゅっせい》いたし候段
奇得《きとく》に思《おぼ》し召され候。これによりて、このたび
名主役申し付け候条《そうろうじょう》、なおこれ已後《いご》、
公用の儀はもちろん、万事とも
心付け、御役儀大切にあい勤め申すべく候。
そのため、書付《かきつけ》くだんのごとし。
（中　略）
前書きのおもむき、承知せしめ候

ものなり。
兵　庫　㊞

【注】
① 小前とは、村役人などではない、一般の百姓のことです。
② 精を出すというとき、江戸時代には「精」の代わりに「情」の字を多く使いました。
③ 奇得の「得」は「特」の当て字です。
④ 「江」は「え」と同じ平仮名です。「又市江」というのは、「又市へ」、すなわち又市宛ということです。

【現代語訳】

その方には、これまで組頭役を申し付けておいたところ、役目を大切に勤め、そのうえ一般の百姓たちにも格別に配慮し、自身も農業などに精を出しているとのことで、殿様（春日氏）も奇特なことだとお思いになっている。そこで、このたびその方を名主に任命するので、さらにこれ以降、公用（春日氏が命じる御用）はもちろん、万事に気を配り、名主の役目を大切に務めるように。そのため、このとおり任命書を発行する。

（中　略）

前書《まえがき》（本文）の趣旨は、自分も了承しているところである。

兵　庫

【解説】

この文書は、春日氏が又市に出した、名主役の任命書です。この文書を作成した「地頭《じとう》所用場《しょようば》」とは、春日氏の家臣で構成される、江戸にある春日氏の役所のことです。江戸時代には、幕府の旗本のことを地頭といいました。

作成者の「地頭所用場」と宛先の「幸谷村名主又市」との、位置関係や字の大きさを比べてみてください。宛先の「幸谷村名主又市」は、「地頭所用場」よりも低い位置に、しかもずっと小さい字で記されています。こうしたところに、武士と百姓の身分的上下関係が目に見えるかたちで示されているのです。

また、春日氏の当主春日兵庫《ひょうご》は、この文書に奥書《おくがき》（本文の後の記載）をして、又市の名主役任命を自分も了承していることを示しています。春日兵庫が百姓に宛てて直接文書を出すのではなく、文書は「地頭所用場」から又市に出されているのです。そして、春日兵庫は、「地頭所用場」の措置を承認するという形式をとっています。こうしたところにも、殿様（春日兵庫）は百姓にとっては雲の上の存在であり、百姓に直接文書を出したりはしないのだという、身分格差に基づく姿勢が明確に表れています。

❖一つの村から浮き彫りになる江戸特有の制度

この争い自体は、一つの村で起こった個別事例です。しかし、そこからは、江戸時代の多くの村々に共通する一般的な特質を見出すことができます。

その第一は、村請制《むらうけせい》の問題です。第一・二章でもふれましたが、村請制は江戸時代の村を理解するうえでの重要なキーワードです。村請制とはどういう仕組みなのか、あらためて述べましょう。村請制とは、ここで争点になっている年貢や諸負担の徴収方法に関する制度です。年貢は、今日の税金に当たります。今日の税金は、国や地方自治体が納税者個人から徴収します。源泉徴収される場合もありますが、その場合でも納税額については国や地方自治体で決定して各納税者に通知するわけです。

しかし、江戸時代には、幕府や大名・旗本は、領地の村々に対して、村全体での年貢納入総額と各村人への割り付け方の原則を示すだけで、あとはすべて村に任せていました。実際に村内の個々の家々に年貢を割り当てて徴収するのは、村人自身の仕事だったのです。名主をはじめ村役人たちが中心になって、各村人の年貢負担額を計算し、それに基づいて各村人に年貢を賦課し徴収していたのです。このように、年貢を村人たちの責任において徴収・納入する制度が村請制です。村請制のもとでは、領主は村の一軒一軒がどれだけ年貢を納めているのか、正確には把握していませんでした。それでも、年貢は毎年支障なく納められていたのです。村請制は、村の共同性と自治の力に依拠した年貢徴収法だといえるでしょう。

幸谷村の場合は、村内が三人の領主の領地（知行所《ちぎょうしょ》）に分かれていましたから、百姓たちは領主ごとに三つに分かれて、それぞれ別個に年貢の賦課・徴収を行なっていました。春日氏領の場合は、御年貢取立帳によって村役人が各百姓の年貢額や納入状況を確認し、各百姓が年貢を完納すると皆済手形を発行しました。そして、名主は、百姓たちの年貢を取りまとめて、順次春日氏に納入しました。当年分の年貢が皆済されると、春日氏からそれを証明する年貢皆済目録が発行されたのです。

村請制によって、領主は煩雑な年貢徴収事務を村に委ねることができました。言ってみれば、毎年居ながらにして年貢が入ってきたのです。一方、村の側では、年貢徴収の実務は確かに負担になりましたが、年貢の負担額を自分たちの協議によって納得のうえで決められるという利点もありました。村請制によって、領主の役人が村に来る必要はあまりなく、日常的な村の運営は村人たちの手で自治的に行なうことができました。

その点では、村請制は村側にとってもメリットがあったのですが、一方で、年貢の賦課・徴収方法をめぐる村人たちの不満や疑惑は、領主に対してではなく、賦課・徴収の実務を中心的に担う名主に向けられることになりました。こうして起こる村人同士の対立・争いを、村方騒動《むらかたそうどう》といいます。

❹ 福昌寺
明治初年には福昌寺の住職が寺子屋を開いて、
村の子どもたちを教えていました。

本章でみた四郎兵衛と杢左衛門らとの争いは、村請制という、全国に共通する江戸時代特有の制度が存在することによって生じたものだったのです。このように、一つの村のささやかな争いからも、江戸時代の制度的特質という大きな問題に接近することができるのです。

❖百姓たちに求められた能力

この争いから見出せる、江戸時代の多くの村々に共通する一般的な特質の二つ目として、百姓たちの読み書き能力の獲得があげられます。この争いでは、年貢関係書類の有無や記載内容が争いの帰趨《きすう》を左右しました。そして、問題になった「御年貢取立帳」にしろ、皆済手形やその「請取書」にしろ、いずれも村役人や百姓たちが作成したものです。ここでは、百姓たちが読み書きをし、書類が作成できるということが前提になっているのです。

江戸時代は、兵農分離《へいのうぶんり》（士農分離《しのうぶんり》）を基本原則としていました。武士と百姓が身分的に区別され、武士は軍事と政治、百姓は農・林・漁業というように、職業も分けられました。また、武士は江戸・大坂や各地の城下町に住み、百姓は村に住むというように、居住地域も別々でした。旗本春日氏も江戸の屋敷に住んでいたのです。幸谷村に、武士はいませんでした。

そのため、領主が領民に法令・命令を伝達したり、納入すべき年貢の総額を村に知らせたりするときには、文書が用いられました。江戸と幸谷村はそれなりに離れていますから、何かあるとその都度頻繁に呼びつけて、口頭で伝えるというわけにはいかなかったのです。また、名主たち村役人が中心になって行なう年貢の賦課・徴収の過程でもさまざまな文書・帳面が作られました。対領主関係や村の運営には、文書が不可欠だったのです。

文書の内容を理解したり、文書を作成したりするには、読み書き・計算の能力が必要です。そのため、村役人には識字力が求められました。また、名主の不正を追及する側も、不正を立証するためには文書・帳面の内容を理解している必要があります。したがって、彼らにも読み書き・計算の能力が求められました。

江戸時代には庶民の義務教育制度はありませんでしたから、村人たちは自らの判断で、子どもを寺子屋に通わせて、読み書き・計算の能力を身につけさせたのです。江戸時代の百姓たちは自らの生活と権利を守るうえでこうした能力を必要としており、それを主体的・積極的に獲得していきました。江戸時代の百姓たちは、けっして無学・無知な存在ではなかったのです。

第四章
水をめぐる協力と対立
——農業用水・堤防・排水

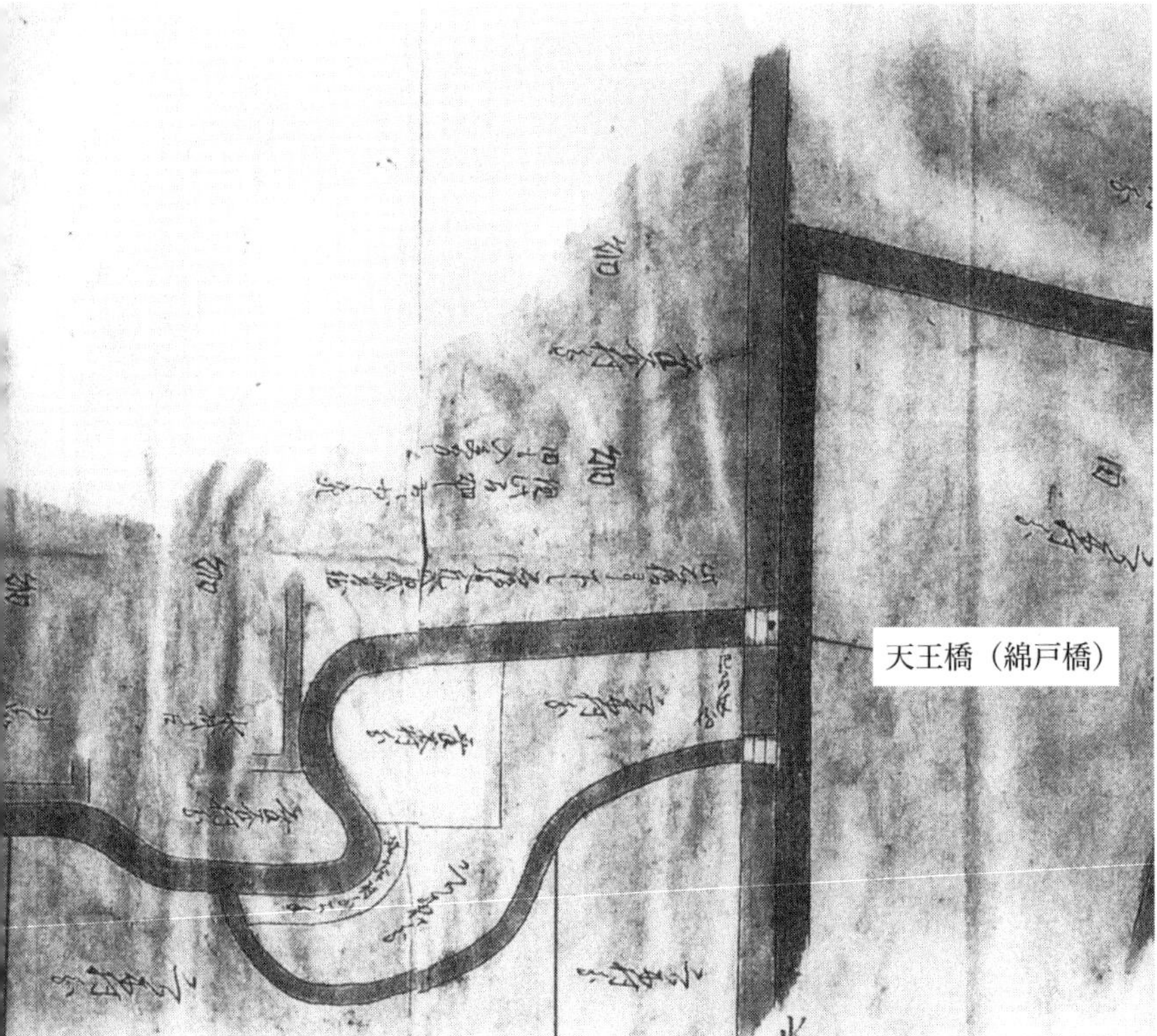
天王橋（綿戸橋）
村共用の支線用水路
二ツ木村単独の支線用水路
南

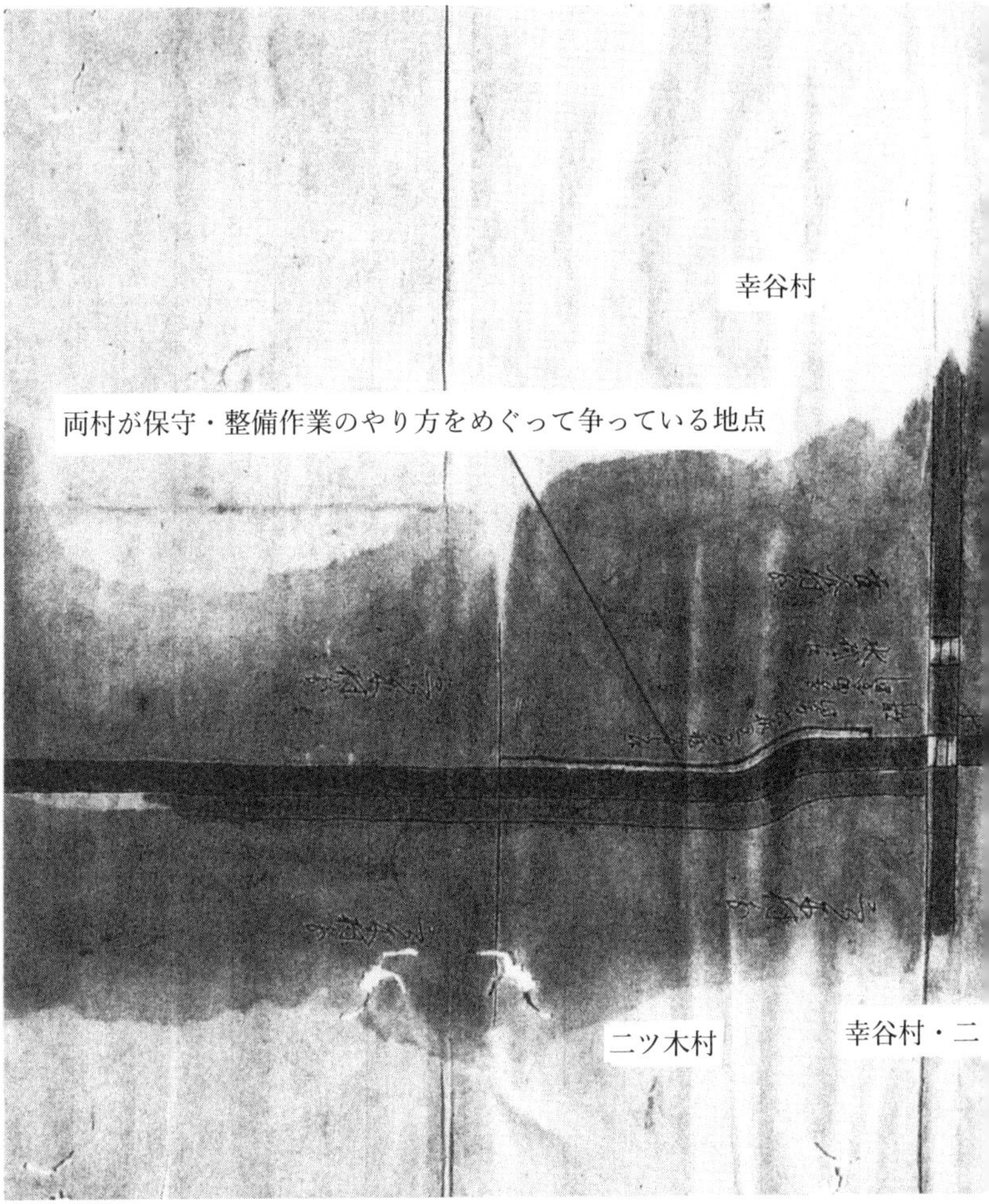

❶ **幸谷村・二ツ木村共用の支線用水路を描いた絵図**
記載の一部を活字に改めました。

❖用水をめぐる争いと和解

水田稲作を主軸とする日本の農業にとって、農業用水としての水が不可欠なことは言うまでもありません。一方、河川の氾濫は農作物に甚大な被害をもたらします。したがって、百姓には、用水を確保しつつ、水害に備えることが求められました。利水と治水が、ともに重要課題だったのです。この点を、幸谷村に即してみてみましょう。まずは、用水（利水）に注目します。用水が重要なだけに、水をめぐって、時には村同士、百姓同士の争いも起こりました。

幸谷村の村域は村の南側で二ツ木村《ふたつぎ》（現松戸市）と接していました。そして、この一帯の幹線用水路から分かれた支線用水路が、両村の境を東から西に流れていました。両村とも、この支線用水路の水を農業用水にしていたのです。この支線用水路からの取水《しゅすい》をめぐって、天明《てんめい》元年（一七八一）に、両村の間で争いが起こりました。主な争点は、①幹線用水路から支線用水路への分岐点に関する問題と、②支線用水路の保守・整備作業のやり方の二つでした（前頁❶）。

争点①について、幸谷村は次のように主張します。「幸谷村の字《あざ》（村内の小地名）天王下《てんのうした》の石橋（天王橋、この橋は二ツ木村では綿戸橋《わたどばし》と呼んでいました）の所に、幹線用水路から支線用水路が分かれる分岐点（分水口）があります。ところが、天明元年に、二ツ木村が天王橋の下に杭を打ち、竹や木を使って、支線用水路に流れ込む水を堰き止めたため、支線用水路のほうに水がこなくなってしまいました。そこで、二ツ木村に石橋の下の杭や竹・木を撤去するよう求めましたが、拒否されました」。

これに対して、二ツ木村は次のように反論します。「綿戸橋（天王橋）の所から分かれる支線用水路は、幸谷村が三〇年くらい前に新しく造ったものです。幸谷村が新たにこの支線用水路から水を引くようになったため、二ツ木村の字「おん出し」にある耕地に水が行き届かなくなってしまいました。この支線用水路は幸谷村が常時利用できるものではなく、幸谷村は水量が潤沢なときだけ取水できるにすぎません」。

すなわち、幸谷村が、二ツ木村が天王橋の分岐点に杭を打ったりして、支線用水路への水の流れを悪くしていると非難するのに対して、二ツ木村は、幸谷村は水量が豊富なときだけ支線用水路に流れ込む水を利用できるに過ぎないと反論しているのです。幸谷村は、支線用水路からの取水を二ツ木村が妨害していると主張し、二ツ木村は逆に、支線用水路から幸谷村が不当にたくさん取水していると主張しているわけです。支線用水路の水は幸谷・二ツ木両村が分け合って利用しているわけですが、幸谷村が支線用水路の水に大きく依存していたのに対して、二ツ木村はこの支線用水路とは別に、もう一つ二ツ木村独自の支線用水路をもっていたため、両村共用の支線用水路への依存度は幸谷村より低かったのです。そこで、幸谷村が両村共用の支線用水路に十分な水量を確保しようとするのに対して、二ツ木村は両村共用の支線用水路よりも二ツ木村単独の支線用水路のほうに水を多く流そうとしているのです。

争点②は、支線用水路（以下、支線用水路という場合は、すべて両村共用の支線用水路のことです）の保守・整備作業のやり方についてです。支線用水路は両村の境を東から西に流れており、支線用水路の北側が幸谷村、南側が二ツ木村です。

争点②について、幸谷村は次のように主張しています。「両村の境界は支線用水路の南側であり、したがって用水路は幸谷村の領域内にあります。ところが、天明元年閏《うるう》五月二七日に、二ツ木村の大勢の村人たちが、支線用水路の北側の岸に生えた雑木《ぞうき》（良材にはならない種々雑多な樹木）を伐採し、水害除けの土手を切り崩して、その土や木の根を用水路に投げ込みました。幸谷村から二ツ木村に抗議したところ、二ツ木村では『訴えたければ、勝手にどうぞ』などというありさまです」。

これに対して、二ツ木村側は次のように反論しています。「両村の境界は、幸谷村の主張とは逆に支線用水路の北側であり、したがって用水路は二ツ木村の領域内にあります。ですから、堀浚《ほりさら》い（用水路の底に溜まった土砂を除去すること）などの保守作業は二ツ木村で行なってきました。ただし、幸谷村の支障になるようなことはしていません」。

争点②は、支線用水路の岸の雑木や土手に関することです。幸谷村は、自村の領域内を流れる支線用水路の岸の雑木を二ツ木村が理不尽に伐採し、さらに土手を勝手に切り崩したと主張します。支線用水路は幸谷村の領域内を流れているのだから、その管理は幸谷村が行なうべきであり、二ツ木村が勝手に手出しはできないというわけです。

それに対して、二ツ木村は、支線用水路は二ツ木村の領域内を流れており、二ツ木村ではその保守作業をしただけで、それは幸谷村には関わりのないことだと反論しているのです。支線用水路は二ツ木村の領域内を流れているのだから、用水路の保守作業は二ツ木村が行なうという理屈です。ここでも、両者の主張はまったく食い違っています。用水路の保守作業はたいへんな仕事ではありますが、それを実施することによって用水路に対する発言権が強まることも事実です。また、村境の問題も関わっていたため、両村とも保守作業は自村が行なうと主張しているのです。

この訴訟は、幕府の法廷で裁かれることになり、幕府は役人を実地検分に派遣します。そして、幕府の審理中に、近隣町村の人たちが仲裁に入り、翌天明二年五月に次のような内容で和解が成立しました。

①天王橋（綿戸橋）の下の分水口においては、そこの地形に即したかたちで支線用水路に分水するための定杭《じょうぐい》（恒久的なものとして打たれた杭）を打つ。
②支線用水路については、その中央を両村の村境とする。
③堀浚いなどの支線用水路の保守作業は、両村が相談し協力して行なう。

①は、天王橋（綿戸橋）における支線用水路への分水を、地形に即した自然なかたちで杭を打って行なうことによって、支線用水路に流れ込む水量を多過ぎも少な過ぎもしないようにするということです。水量が多過ぎれば二ツ木村が不満を抱き、少な過ぎれば幸谷村が不満を抱きますから、水量を両村ともに納得できるレベル（両村の主張の中間あたり）にしたわけです。

江戸時代の訴訟は、この事例のように近隣の町村の有力者が仲裁に入って、和解で解決することが多かったのです。隣り合う村同士がとことん争えば、後にしこりが残ります。そうなると、当事者だけでなく、周辺の町村を含めた地域社会全体に悪影響が及びます。そうした事態を避けるために、近隣の町村の人が間に入って両者の言い分を聞き、和解成立に尽力しました。

また、和解内容をみると、支線用水路を両村がそれぞれ自村の領域内だと主張したのに対して、用水路の中央を村境としたり、用水路の保守作業を両村が協力して行なうことにしたりと、双方の顔を立てたものになっています。仲裁者は、相争う双方が完全に納得しないまでも、「まあ、これなら仕方ないか」と思えるような妥協点を見つけて和解させているのです。これも、後にしこりを残さないための工夫だといえます。ただし、これで万事解決というわけではなく、以後も、時には両村間で争いが起こりました。

この事例のように、江戸時代の村々の間では、用水をめぐって時には争いも起こりましたが、村々は、みだりに現状の変更はしない、水の利用や用水路の補修については利害関係村々がよく話し合う、などの一般原則に基づいて、ほとんどの時期には協力・共同の良好な関係を維持していたのです。

❖江戸川の堤防を守る

次に、治水の話に移りましょう。幸谷村と周辺の村々は、江戸時代を通じて江戸川《えどがわ》と坂川《さかがわ》の氾濫に悩まされました。両河川の周辺には平野が拡がっていたため、河川が氾濫すると、溢れた水は遮るもののないまま流域村々に押し寄せたのです。そのため、この両河川の治水工事は流域村々にとって共通の重要課題でした（八〜九頁の地図および次頁❷）。

江戸川は大河川なので、治水工事には幕府が直接責任をもち、勘定奉行《かんじょうぶぎょう》配下の普請掛《ふしんかか》り役人（土木工事担当役人）たちが工事の指揮監督に当たりました。工事費用も、幕府が負担しました。ただし、実際に工事を行なったのは流域村々の百姓たちであり、流域村々も費用の一部を負担しました。

また、大河川の治水には大規模な工事が必要ですから、一か村だけで成し遂げることはできません。流域村々が協力・共同しなければならないのです。そこで、必然的に、流域村々の連合組織がつくられることになりました。

❷ 江戸川・坂川と流域の村々
（渡辺尚志『殿様が三人いた村』崙書房出版、2017年、より転載）

江戸川の堤防の構築・維持・修復などについては、江戸川東岸の四〇か村が小金《こがね》領《りょう》川除《かわよけ》御《ご》普請組合《ふしんくみあい》（※）（治水工事を行なうための村々の連合組織）をつくって、協力しながら工事を行なっていました。この組合は村を構成単位としており、幸谷村もその一員でした。

また、小金領川除御普請組合のうち江戸川近郊の低湿地に耕地のあった二五か村は、江戸川増水時の堤防決壊を協力して防ぐための組合（村々の連合組織）をつくっていました（これを中郷《なかごう》二五か村組合といいます）。各村があらかじめ堤防の受け持ち場所を決めておき、増水の際にはそこの決壊防止にあたるのです。幸谷村もこの組合に加わっており、江戸川に面した主水新田《もんとしんでん》（現松戸市）の領域内の堤防二〇〇間《けん》（約三六〇メートル）を受け持っていました。

すなわち、小金領川除御普請組合四〇か村が連合して、幕府から工事費用を受け取り、幕府役人の指揮監督を受けつつ、定期的に堤防のメンテナンスを行なうとともに、大雨が降って江戸川が増水し氾濫の危険が迫ったときなどには、そのうちの二五か村の村人たちが危険個所に駆け付けて、土俵《どひょう》（土を詰めた俵）を積むなどして堤防の決壊を防いだのです。このように、江戸川に近い村々が広域連合組織をつくり、協力して江戸川の氾濫防止にあたる体制ができていました。江戸時代の村々は、けっしてそれぞれが孤立した閉鎖的な組織だったのではなく、一つの村だけでは解決できない問題に対しては、関係村々が力を合わせて解決にあたったのです。

しかし、時には、組合を構成する村々の間で対立が起こることもありました。対立がエスカレートしてしまった事例をご紹介しましょう。文政五年（一八二二）八月には、二五か村組合のうち一四か村の村役人や一般の百姓たち大勢が主水新田名主の宗右衛門《そうえもん》方に押しかけて、宗右衛門を殴打《おうだ》して負傷させ、家屋や家財を打ち壊すという騒ぎがありました。幸谷村からは、曲淵氏領の名主武左衛門《ぶざえもん》と春日氏領の百姓倉之助《くらのすけ》、そして古田氏領の百姓勘蔵《かんぞう》・平吉《へいきち》・初五郎《はつごろう》（次郎兵衛《じろべえ》の子）の計五人が参加しています。もっとも、武左衛門は乱暴を止めようとして出向いたようです。

この騒ぎの原因は、八月一日に、江戸川沿いの主水新田の村域内で増水のため江戸川の堤防が決壊し、流域村々が水害を被《こうむ》ったことにありました。一四か村側は、これは宗右衛門が水防対策をなおざりにしていたからだと考えて、激怒した若者たちを先頭に宗右衛門宅に押し寄せたのです。

同月には、この一四か村が、流山村《ながれやま》（現千葉県流山市）で幕府の普請掛り役人に願書を差し出しています。願書では、今回、本来なら堤防が決壊するほどの出水ではなかったのに、主水新田の領域内で江戸川の堤防が決壊したのは、主水新田の対応に問題があったからだとして、今後こうしたことが繰り返されないよう、普請掛り役人に適切な指導を願っています。

しかし、仮に堤防決壊の原因については一四か村側の主張が正しかったとしても、宗右衛門宅で乱暴をはたらいた件については責任を取らなければなりません。それに関しては、八月に、近隣町村の役人たちが仲裁に入り、一四か村側が壊した家屋・家財を修復・弁償することで和解が成立しました。宗右衛門が比較的軽傷だったことも、和解の成立にとって幸いしたようです。

このときの和解には、弁償費用や仲裁者への謝礼などで金九二両余もの大金がかかりました。それを一四か村で分担したのです。幸谷村は、金八両以上を負担しています。怒りに任せて暴力に訴えた代償は大きかったといわなければなりません。

※　小金領とは、幸谷村を含む江戸川東岸一帯の地域名称です。川除《かわよけ》とは治水・水防のこと、御普請とは幕府が経費を負担する工事のことです。また、ここでいう「組合」は、今日の労働組合や健康保険組合のように個人単位で加入するものではなく、村を単位とする連合組織です。御普請に

郵便はがき

料金受取人払郵便

豊島局
承認

7753

差出有効期間
2021年11月
25日まで

170-8780
021

東京都豊島区巣鴨1-35-6-201

図書出版
文学通信 行

■注文書 ●お近くに書店がない場合にご利用下さい。送料実費にてお送りします。

書 名 冊数

書 名 冊数

書 名 冊数

お名前

ご住所 〒

お電話

読者はがき

これからの本作りのために、ご意見・ご感想をお聞かせ下さい。

この本の書名

お寄せ頂いたご意見・ご感想は、小社のホームページや営業広告で利用させて頂く場合がございます（お名前は伏せます）。ご了承ください。

本書を何でお知りになりましたか

文学通信の新刊案内を定期的に案内してもよろしいですか

はい・いいえ

●上に「はい」とお答え頂いた方のみご記入ください。

お名前

ご住所 〒

お電話

メール

対して、村々が費用・資材・労働力をすべて自己負担する工事を自普請《じふしん》といいました。

❖坂川の排水を良くするための課題と行動

江戸川とともに、地域住民の生活に重大な影響をおよぼしたのが坂川です。坂川は江戸川東岸の低湿地の水を江戸川に流す排水路の機能をもっていましたが、江戸川の水位が高いときには江戸川から坂川に水が逆流したため、「逆川《さかがわ》」ともいわれました。これでは、十分な排水機能は果たせません。

排水不良に悩んだ坂川流域一二か村（うち一一か村が「坂川組合」という連合組織をつくっていました）は、安永《あんえい》一〇年（＝天明《てんめい》元年、一七八一）以降、坂川の流路変更をたびたび幕府に出願しました（幸谷村はこの一二か村には含まれていません）。流路を変えることで、排水をよりスムーズにしようというわけです。

さらに、天明《てんめい》三年（一七八三）の浅間山《あさまやま》の大噴火によって、火口からの噴出物が浅間山の北麓を流れる吾妻川《あがつまがわ》になだれ込み、川の水と混ざり泥流となって下流へ押し寄せました（※）。泥流は、吾妻川から利根川《とねがわ》へ、利根川から江戸川へ、江戸川から坂川へと順次流れ込んで川底に堆積したため、坂川の川床《かわどこ》が上昇してますます流れが悪くなってしまいました。そのため、大雨のたびに、台地から平野に流れ落ちた水が排水されずに、平野部の田畑が一面水浸しになってしまったので、坂川の流路変更の必要性はさらに高まりました。

けれども、流路変更を求める村々の出願はなかなか認められませんでした。それでも、文化《ぶんか》一〇年（一八一三）にいたってようやく出願が認められ、同年一二月には新流路が完成しました。

そのときから、幸谷村も、近隣の大谷口《おおやぐち》・二ツ木《ふたつぎ》・三ケ月《みこぜ》三か村（いずれも現松戸市）とともに、坂川流域村々による坂川やそれに接続する水路の藻刈り《もか》（水路に生えた植物を刈り取り、水流を良くすること）に協力するようになりました。幸谷村は「坂川組合」には入っていませんでしたが、「坂川組合」村々と幸谷村など四か村とは、ともに江戸川の治水組合（前述の小金領川除御普請組合）に加わっているというよしみがあり、また幸谷村の耕地が坂川の近くにもあったので協力したのです。

しかし、文化一〇年完成の新流路は期待したほどの排水機能を果たしてくれませんでした。そこで、新流路完成後程なくして、坂川流域一二か村は台方《だいかた》の一三か村（ここに幸谷村も含まれます。台方とは台地上もしくは台地縁辺に立地する村々のことです）とも連携して、新流路が江戸川に合流する付近の再工事を幕府に出願しました。合流点付近における坂川の流路変更によって、江戸川へのスムーズな排水を実現しようとしたのです。再工事の出願もなかなか認められませんでしたが、村々の粘り強い運動によって、天保《てんぽう》六年（一八三五）にようやく再工事が実施されることになりました。

けれども、坂川のスムーズな流れを実現するためには、江戸川との合流点付近の再工事に加えて、坂川の川床を上流から合流点の松戸町《まつどまち》（水戸街道の宿場でもありました）まで二里《り》余（一里は約四キロメートル）にわたって浚渫《しゅんせつ》（水深を深くするために、川床などの土砂を掘削すること）する必要がありました。川床を掘り下げることによって、流れをよくしようというわけです。そのためには村々から作業員（人足《にんそく》）を出す必要があり、幸谷村では村高《むらだか》（村全体の石高）一〇〇石につき二〇〇人、「水腐高《みずくさりだか》」（村の耕地のうち特に水害を受けやすい耕地のみの石高、後述）一〇〇石につき五〇〇人の割合で人を出すことになりました。

幸谷村の村高は五一四石（ここでは三〇頁の表1とは若干異なる数値が採用されています）、「水腐高」は一〇二石だったので、村高基準で一〇〇〇人以上、「水腐高」基準で五〇〇人以上、合わせて延べ一五〇〇人以上の作業員を出さなければなりませんでした。

明治五年（一八七二）の幸谷村の人口は三六〇人だったので、天保六年時点でもそれと大きくは違わなかったでしょう。ただし、作業員には成人男子が出る必要がありましたから、作業に出られる有資格者は当時一〇〇人前後だったと思われます。とすると、成人男子一人当たり一五日程度作業に出なければなりません。当然、その間は農作業など家の仕事は休むことになります。そのため、こうした労働力提供は、ただでさえ楽ではない百姓たちの暮らしをさらに圧迫することになります。そこで、天保六年七月と八月の二度にわたって、春日氏領の戸主一同が春日氏に対して、労賃の援助を願っています。天保六年八月の願書を【古文書を読む　その3】として示しました。

春日氏の援助が実現したかどうかは不明ですが、坂川の再工事は天保六年に開始され、翌天保七年に竣工《しゅんこう》しました。二度の流路変更によって坂川の排水機能は改善され、百姓たちの不安は一つ取り除かれたのです。

※ 天明三年の浅間山大噴火についてくわしく知りたい方は、渡辺尚志『浅間山大噴火』（吉川弘文館、二〇〇三年）、同『日本人は災害からどう復興したか』（農山漁村文化協会、二〇一三年）をご参照ください。

❖古文書を読む　その3（これは、『松戸市古文書目録（3）』の整理番号一五一番の文書です）

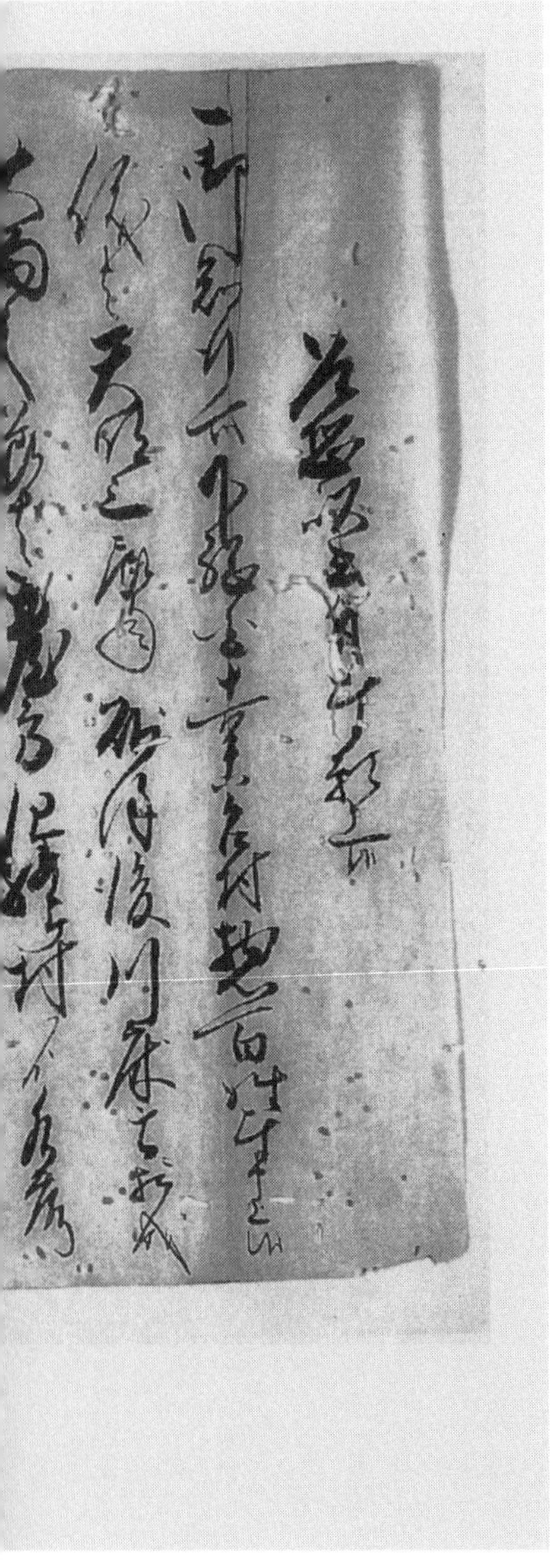

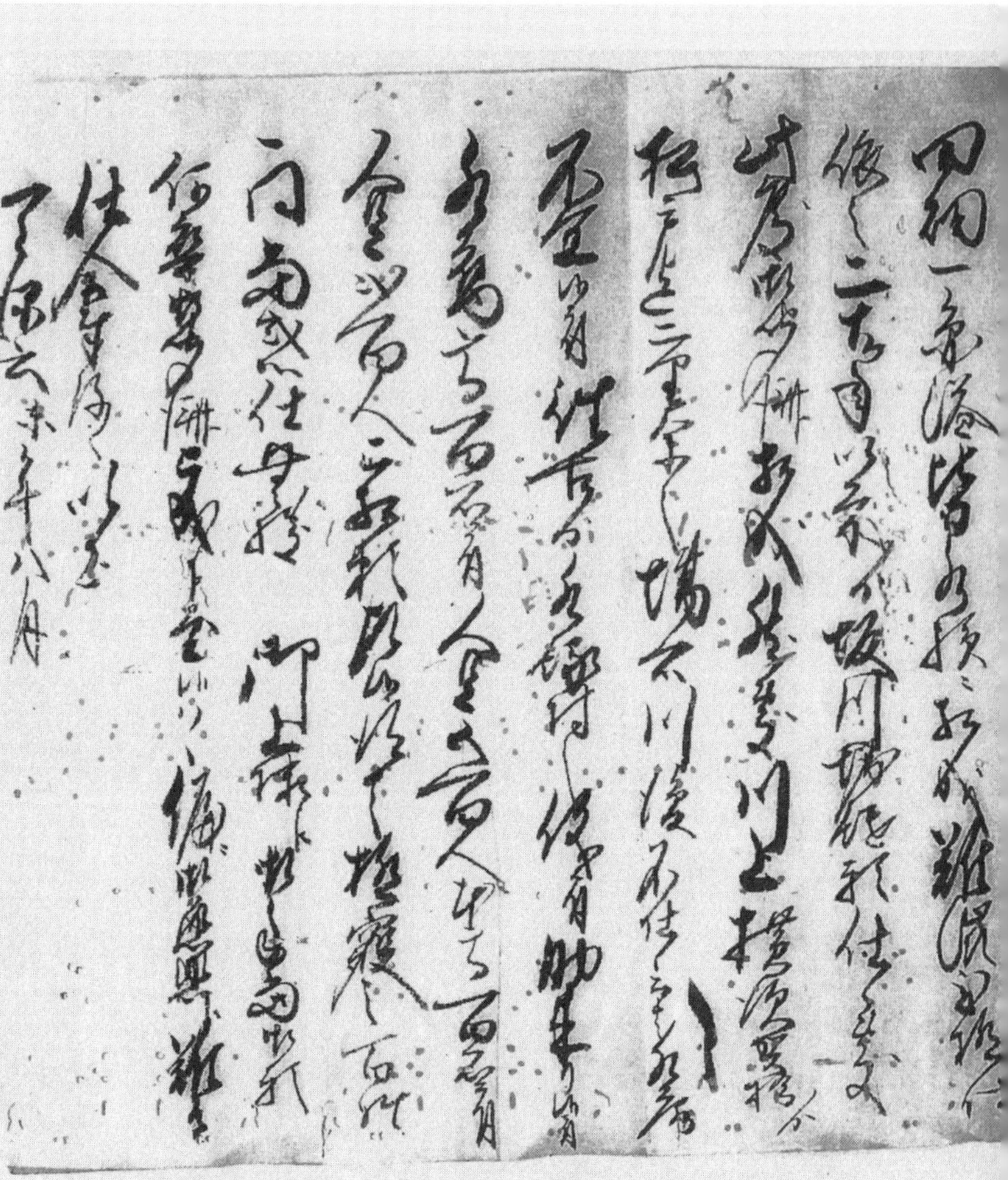

【翻刻】

乍恐以書付奉願上候

一御知行所下総国幸谷村惣百姓奉申上候
儀者天明三辰年砂降①後川床高ニ相成
大雨之節者台方②四拾ケ村ゟ③水落
田畑一円溢皆水損ニ相成難渋至極仕
依之二十ケ年以前ゟ坂川堀継④願仕候処
此度御聞済相成然処川上横須賀橋ゟ
松戸迄二里⑤余之場所川浚不仕候而者水落
不宜候ニ付往古ゟ水縁村之儀ニ付助来り候ニ付
水腐高⑥百石ニ付人足五百人本高⑦百石ニ付
人足弐百人被相頼左候得者極窮之百姓
一同当惑仕無拠　御上様⑧江御手当御願
何卒御聞済被成下置候ハヽ偏ニ御慈悲ト難有
仕合奉存候以上

天保六未年八月

【読み下し】

恐れながら書付《かきつけ》をもって願い上げたてまつり候《そうろう》
一《ひとつ》、御知行所《おんちぎょうしょ》下総国《しもうさのくに》幸谷村惣百姓《そうびゃくしょう》申し上げたてまつり候
儀は、天明三辰年《たつどし》砂降《すなふ》り後、川床高《かわどこだか》に相成《あいな》り、
大雨の節は台方四拾《よんじゅう》ケ村より水落ち、
田畑一円溢《あふ》れ、皆水損《すいそん》に相成り、難渋至極《なんじゅうしごく》仕《つかまつ》り、
これに依《よ》りて二十ケ年以前より坂川堀《ほり》継ぎ願い仕り候処《ところ》、
この度《たび》御聞き済みに相成り、然《しか》る処《ところ》、川上横須賀橋《かわかみよこすかばし》より
松戸迄二里《り》余の場所、川浚《かわざら》い仕らず候ては水落ち
宜《よろし》からず候に付き、往古《おうこ》より水縁村《みずべりむら》の儀に付き助け来たり候に付き、
水腐高《みずくさりだか》百石に付き人足《にんそく》五百人、本高《ほんだか》百石に付き
人足弐百人相頼まれ、左候《さそうら》えば極窮《ごっきゅう》の百姓
一同当惑仕り、よんどころ無く御上様《おんうえさま》え御手当御願い、
何卒《なにとぞ》御聞き済み成し下《くだ》し置かれ候《そうら》はば、偏《ひとえ》に御慈悲と有り難き
仕合《しあわ》せに存じたてまつり候。以上。
天保六未《ひつじ》年八月

【注】

①「砂降《すなふり》」とは、天明三年（一七八三）の浅間山の大噴火によって、灰・砂・石などが広範囲に降下したことを指します。

②「台方」は、ここでは下総《しもうさ》台地上もしくは台地の縁に所在する村々のこと。

③「ゟ」は、今は使いませんが、「より」という字です。

④「堀継《ほりつぎ》」とは、流路を変更する土木工事のこと。

⑤「里《り》」とは距離の単位で、一里は約四キロメートルです。

⑥「水腐高」とは、幸谷村の耕地のなかでも低地にあって、特に水害に遭いやすい耕地の石高のことです。九九頁参照。

⑦「本高」とは、「水腐高」を含む、幸谷村全体の石高（村高）のことです。

⑧「御上様」とは、領主春日氏のことです。「御上様」の上が一字分空いているのは、「闕字《けつじ》」という敬意表現です。「御上様」すなわち春日氏への敬意を表すために、「御上様」の上を一字空けているのです。「御上様」の語のすぐ頭に別の字がくるのは恐れ多いという考え方です。

【現代語訳】

恐れながら書付をもって願い上げたてまつります

一、春日氏の領地である下総国幸谷村の百姓全員が、以下のとおり申し上げたてまつります。天明三年の辰年に（浅間山の噴火によって）砂が降って以降、坂川の川床が高くなり、大雨が降ると台方の四〇か村の領域から雨水が坂川のほうに流れ落ちてきて、坂川の近くの田畑一円に水が溢れ、作物がすべて水害で駄目になってしまうため、百姓たちは難渋をきわめております。

そのため、二〇年以前から坂川の掘り継ぎ工事を幕府にお願いしてまいりましたところ、このたび幕府による工事が認められました。ただし、その際、坂川の川上の横須賀橋から松戸まで二里余の場所を川浚いしなくては、水の流れがよくなりません。そして、川浚いに際しては、幸谷村も坂川に近いので、昔から坂川沿いの村々に援助をしてきたというきさつがあるため、今回の川浚いに際しても、坂川沿いの村々から頼まれて、幸谷村の水腐高一〇〇石につき作業員五〇〇人、本高一〇〇石につき作業員二〇〇人の割合で、作業員を出すことになりました。

しかしながら、現在、百姓たちはたいへん困窮しておりますので、このような作業員の負担はできないと一同当惑しております。そこで、致し方なく、御上様に資金援助をお願いするしだいです。ご了承いただければ、これもひとえに御上様の御慈悲と、百姓一同ありがたき仕合せに存じたてまつります。以上。

❖排水機能の改善が引き起こした対立

しかし、それで万々歳ではありませんでした。その後、幸谷村では、坂川の排水機能の改善が原因となった争いが起こったのです。天保一〇年（一八三九）八月に、江戸川・坂川の普請（治水工事）をめぐって、曲淵氏領の百姓たちと、古田・春日両氏領の百姓たちが対立したのです。

普請の経費や労働力は、普請組合を構成する村々が石高を基準に分担して負担しました。普請組合村々の代表が話し合って、各村の負担の割合を決めたのです。その際、幸谷村の負担の基準となる石高は、幸谷村の村高五一四石ではなく、その一部の「水腐高《みずくさりだか》」一〇二石でした（※）。被害を受けやすい耕地、見方を変えると治水工事によってもっとも恩恵を被る耕地の所有者が治水工事の負担を負うべきだという考え方（受益者負担原則）に立って、普請の経費や労働力は「水腐高」を基準にして、普請組合村々から幸谷村に割り当てられたのです。

これは一定の合理性のある考え方ですが、幸谷村の場合、一つ問題がありました。「水腐高」の耕地は三人の領主の領地に均等に存在したのではなく、曲淵氏領に比較的高い割合で含まれていたのです。したがって、曲淵氏領の百姓の負担が、古田・春日両氏領の百姓よりも相対的に重くなりました。受益者負担原則に立つとはいえ、治水工事によっても

❸ 幸谷村に近い所を流れる坂川

水害が完全になくなるわけではないので、「水腐高」の耕地の所有者は治水工事の負担をしたうえに、水害も被るという場合が出てきます。そうなると、「水腐高」耕地の所有者の負担は過重になってしまいます。

そこで、幸谷村では、普請の経費や労働力の負担を村人たちに割り振る際に、その一部を「水腐高」ではなく、村高五一四石を基準にして負担を割り当てていました。

ほかの組合村々との関係では「水腐高」基準で経費や労働力を負担しますが、村内では独自に村高を基準に村人たちに負担を求めてもいたのです。村高基準であれば、三給の負担の度合いに差はないので、「水腐高」基準の場合と比べて、曲淵氏領の百姓たちの負担は相対的に軽くなります。古田・春日両氏領の百姓たちは、村高と「水腐高」の両基準を併用するという幸谷村独自の方法で、曲淵氏領の百姓たちの負担を軽減してあげていたのです（【古文書を読む　その3】でも、そのように記されています）。

ところが、坂川の排水機能の改善によって事情が変わってきました。「水腐高」の耕地が水害に遭う危険が減少したのです。そこで、古田・春日両氏領の百姓たちは、江戸川・坂川の普請の経費と労働力に関して、今後は村高基準での負担を廃止して、すべて「水腐高」を基準に賦課すべきだと主張しました。これまで経費と労働力の一部を村高基準で負担してきたのは、「水腐高」の耕地を相対的に多く所有して、水害と高負担の双方で苦しんでいた曲淵氏領の百姓たちへの支援措置だったのだから、「水腐高」の耕地が水害に遭わなくなった以上、そうした支援はもはや不要だという主張です。

これに対して、曲淵氏領の百姓たちは、古田・春日両氏領の百姓たちの主張は従来の取り決めに違反しており、これを認めては曲淵氏領の百姓たちの負担が重くなってしまうとして、従来どおりの村高・「水腐高」両基準の併用を主張しました。

この両者の対立は、従来からの慣行重視派（曲淵氏領の百姓たち）と、現状に即した負担に改めるべきだという現状重視派（古田・春日両氏領の百姓たち）との対立でもありました。

この問題は当事者同士の話し合いでは解決しなかったため、曲淵氏領の百姓たちは、天保一〇年九月に幕府の勘定奉行所に訴え出ました。しかし、実際の審理が始まる前に近隣の有力者たちが仲裁に入って、一〇月中には示談が成立しました。示談書では、従来どおり二本立ての基準での負担が確認されています。曲淵氏領の百姓たちの主張が通ったのです。

この争いは、幸谷村が三人の領主の領地に分かれていたがゆえに起こったものでした。村に複数の領主がいるということは、村人たちに領地ごとの負担のバランスをどうとるかという難しい課題を背負わせることになったのです。各領地の百姓たちは、ときにはここでみたように相互に争いつつも、お互いに納得できるあり方を模索していきました。そうした努力の結果、江戸時代を通じて幸谷村全体のまとまりが保たれていたのです。

※「水腐高」の名称は、その耕地の作物が水害に遭って腐りやすいところからきています。

第五章

武士に「もの言う」百姓たち

——武士の罷免を求め、領主の人事に口を出す

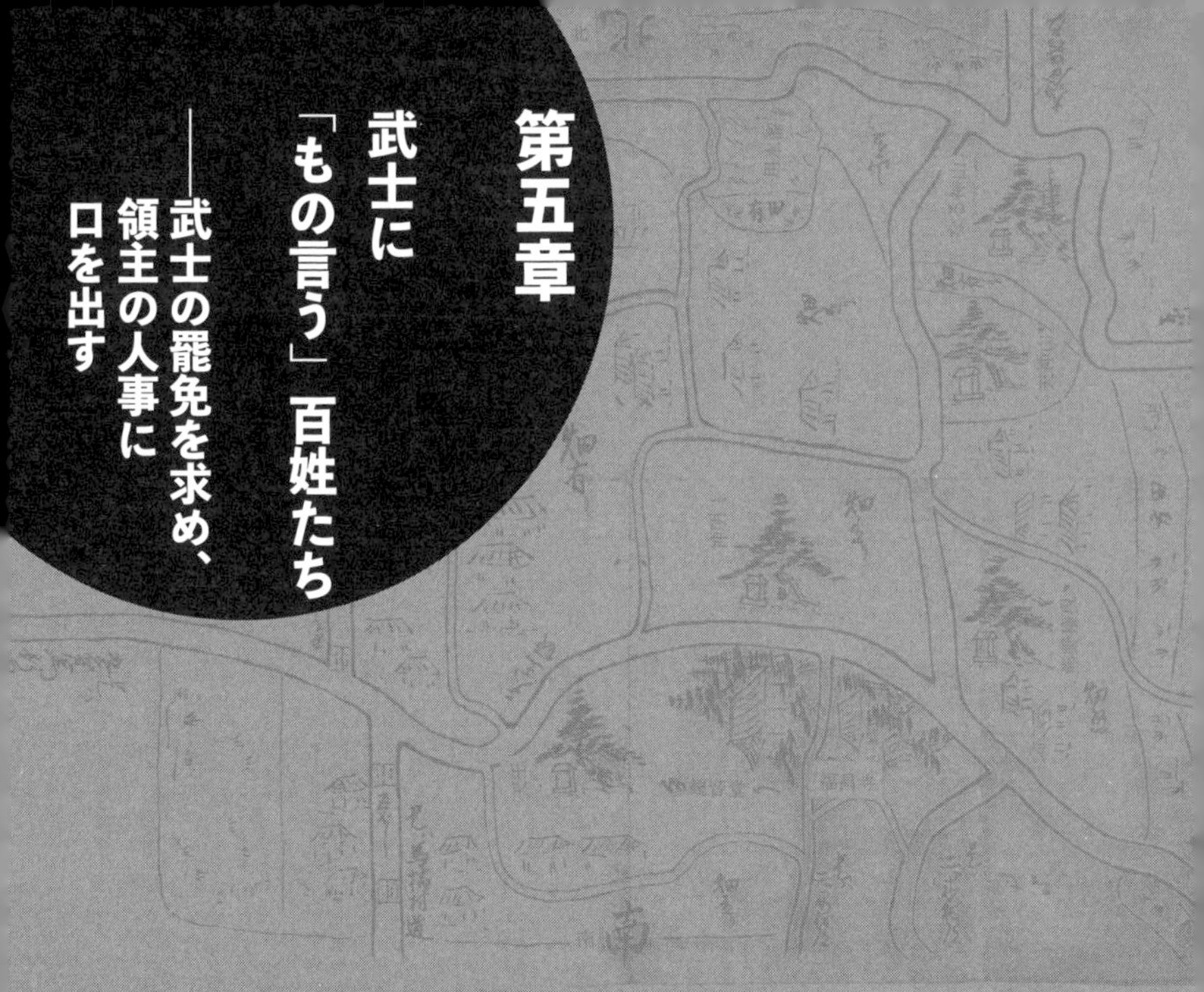

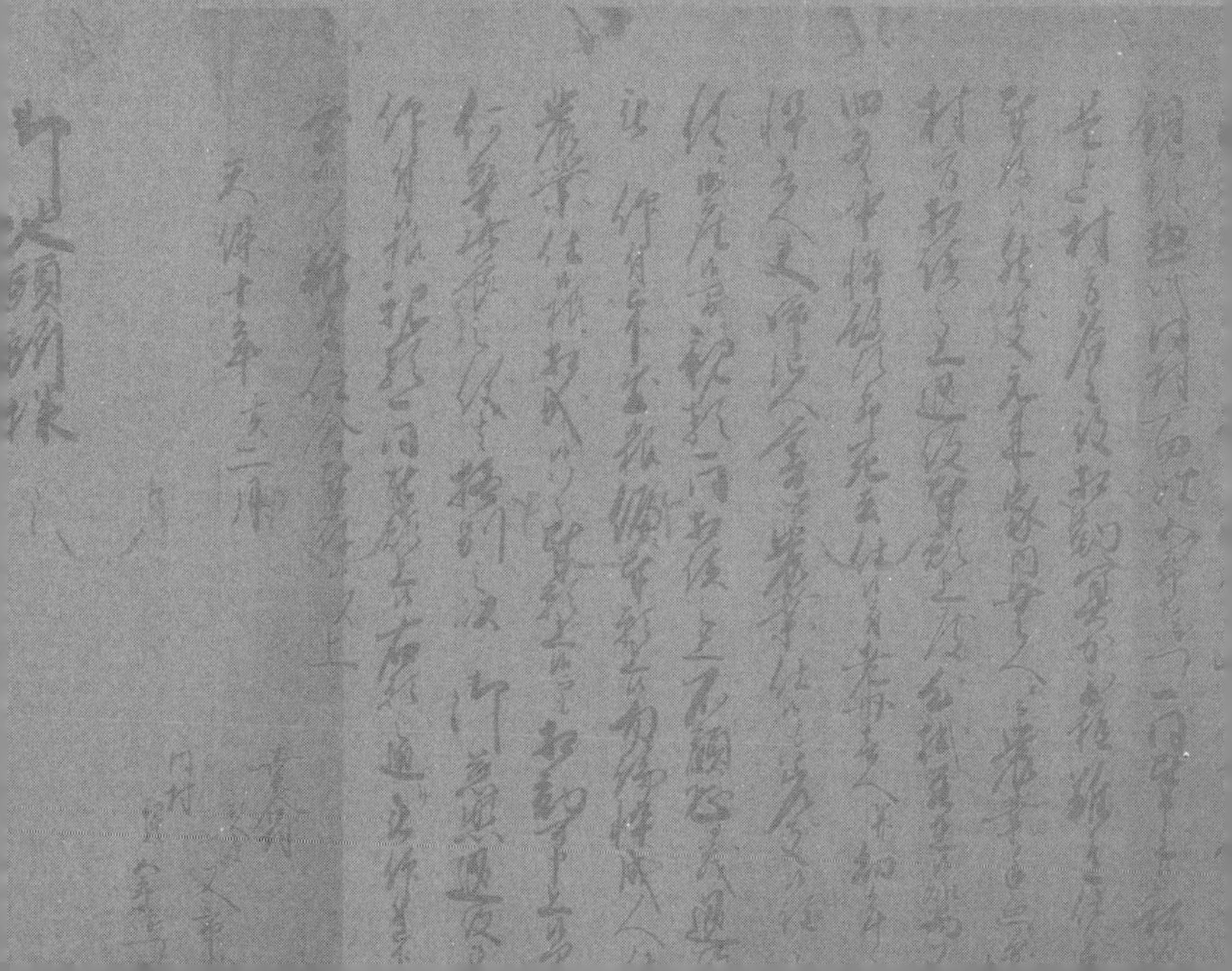

用水溜
なる神山
天神山
神明
東
熊野権現
福昌寺
観音堂

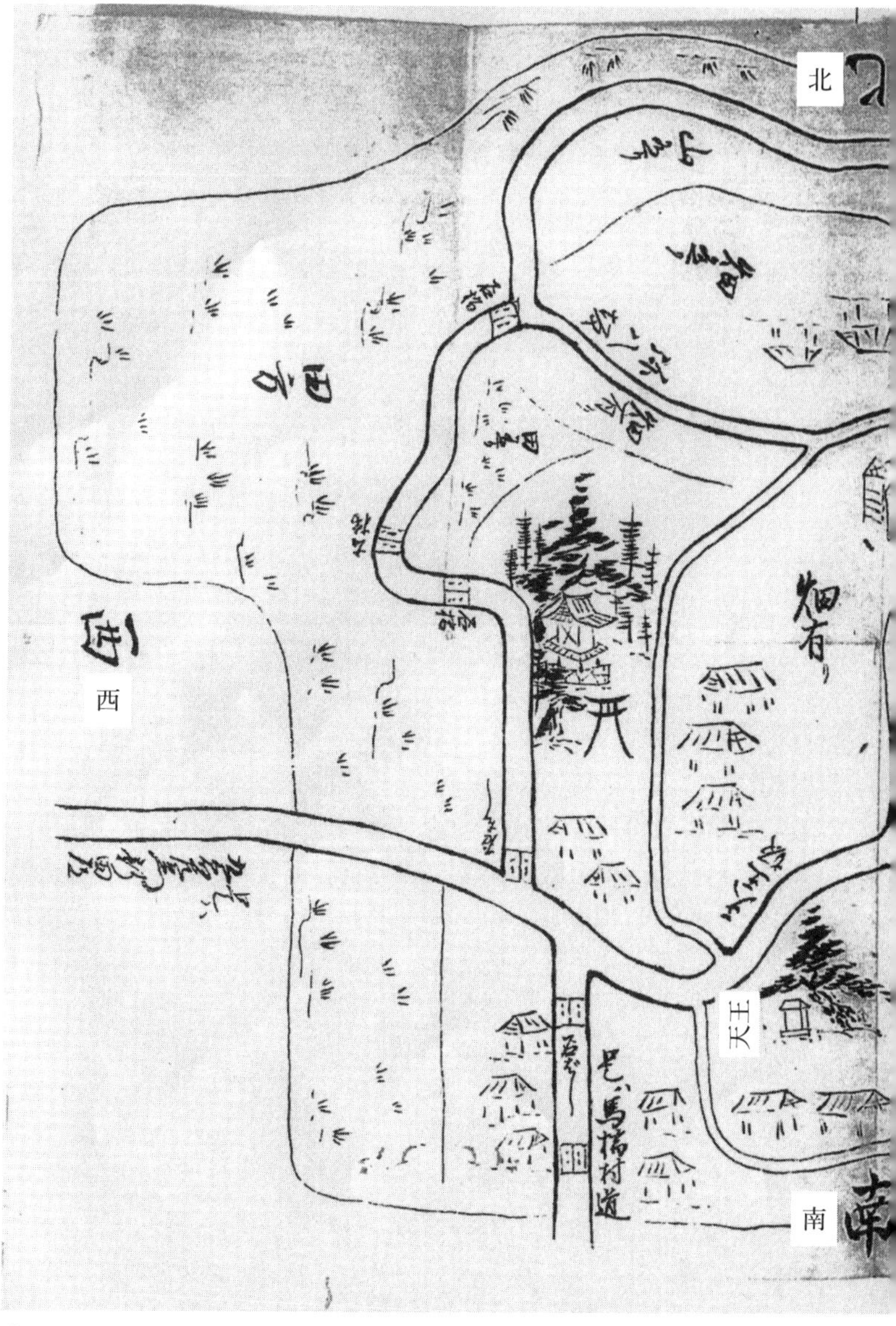

❶　江戸時代に描かれた幸谷村の絵図
記載の一部を活字に改めました。第二章図❶と似ていますが、別の絵図です。

❖百姓が武士の罷免を求める

本章では、自らの暮らしを守り発展させるために、領主に対しても敢然と自己主張する百姓たちの姿をご紹介しましょう。

安永《あんえい》二年（一七七三）には、春日氏の知行所《ちぎょうしょ》（領地）六か村（常陸国《ひたちのくに》真壁郡《まかべぐん》赤浜村《あかはまむら》、同国新治郡《にいはりぐん》上林村《かんばやしむら》、同小塙村《こばなむら》、武蔵国《むさしのくに》足立郡《あだちぐん》中野田村《なかのだむら》、同中丸村《なかまるむら》、幸谷村の六か村。このとき幸谷村の名主は又市でした）が共同で、一八世紀後半以降財政赤字が増大して、安永二年当時約四〇〇両の借金を抱えて苦しんでいた春日氏に対して、その負債内容を村々に公開させたうえで、支出削減などの財政再建策を、具体的な金額をあげて提案しています。提案には、春日氏の家臣の人員削減も含まれています。百姓が、武士のリストラを要求しているのです。さらに、財政収支を知行所村々が管理して、収支のバランスを適正化し、確実に財政健全化を図ることとされています。もはや、領主が百姓から年貢を搾り取り、それを好き勝手に使うなどということはできなくなっているのです。

天保九年（一八三八）七月に、春日兵庫《ひょうご》（春日氏の当主）の知行所村々（このとき幸谷村の名主は又市）が、兵庫の親類と思われる春日信吉郎《しんきちろう》に次のように願い出ました。

現在、矢嶋応輔《やじまおうすけ》殿が殿様（春日兵庫）の御用役《ごようやく》（※1）を務めていますが、応輔殿がこのまま勤続しては殿様のためにならないばかりか、村々の迷惑にもなると存じます。その理由は、以下のとおりです。

一、今年四月に、応輔殿が知行所村々に出張してきました。そのとき、応輔殿は従者四人を従えていました。そして、応輔殿は、殿様の命令書だといって、「知行所村々に対しては、応輔の一存でどのように取り計らってもかまわぬ」と記された書面を見せました。この書面は応輔殿が書いたものですが、それをみると、応輔殿と殿様の名前がまるで同輩のようなかたちで記載されていました。これは、殿様に対して礼を失するものだと思います。

また、応輔殿が連れて来た従者は、俗にいう「岡引《おかっぴ》き」（※2）のような者たちで、村人たちに酒肴《しゅこう》をねだり、大酒を飲むなど言語道断のありさまです。このようなことは、以前にはなかったことです。

一、知行所の赤浜村名主徳五郎《とくごろう》から冥加金《みょうがきん》（※3）として、殿様に金《きん》一〇〇両を上納しました。応輔殿は、その金を知行所村々に貸し付けたといっていますが、村々ではそのような金は受け取っていません。もちろん、応輔殿はその金を殿様へも差し上げていません。応輔殿は今になって、その金は殿様の生活費や臨時の出費に充てたと言い出しましたが、本当のところはどうなっているのかわかりません。

一、殿様がほかから借りた金が返せないため貸し手から訴えられてしまったので、仕方なく知行所村々が返済のために出金しました。ところが、応輔殿はその金を返済に充てずに、自分が横領してしまったということです。応輔殿が横領した金は、ほかにもあります。

一、殿様の上役（※4）のところにも、応輔殿が悪者だという噂が届いたため、上役の方は、「応輔が誠忠《せいちゅう》の者ならば、自分から辞職を願い出るだろう。不忠者《ふちゅうもの》ならば、辞職を拒否するだろう」とおっしゃったということです。ところが、応輔殿は母親の病気を理由に表面上は辞職を願い出たものの、実際は御用役を勤続したいと考えています。しかし、応輔殿が勤続しては殿様のためにならないと存じますので、知行所村々からはあくまで辞職を命じてほしいと殿様にお願いしました。すると、応輔殿は、「殿様の奥様が自分の勤続を願っているので、勤続したいと存じます」と殿様に願い上げたと聞きました。まさに、上役の方が推察したとおりの不忠者ですので、応輔殿を殿様のお屋敷から退去させてください。

※1　御用役とは、用人《ようにん》のことで、旗本の中核的家臣として、旗本財政や知行所村々の支配等を統括していました。

※2　「岡引き」とは、領主役人の手先となって、犯罪者の探索や捕縛にあたった人のこと。「目明《めあ》かし」ともいい、時代劇によく登場します。

※3　冥加金とは、献金の一種です。

※4　春日兵庫は、天保七年一一月に小姓組番《こしょうぐみばん》となり、酒井隠岐守《さかいおきのかみ》の配下に入っています。小姓組番とは、江戸城の警衛や将軍などの身辺警護をする役職です。なお、このとき、小姓組番への就任にあたって金五〇両余がかかるとして、幸谷村にその出金が命じられています。

❖百姓が領主の人事を左右する

この願書では、知行所村々が春日兵庫の御用役矢嶋応輔の問題行為（公金横領等）をさまざまに指摘して、彼の罷免を求めています。そして、その要求を直接春日兵庫にぶつけるのではなく、兵庫の親類と思われる春日信吉郎に訴えていることが注目されます。兵庫としても、領民から直接家臣の人事に口を出されれば愉快ではなかったでしょう。もし、兵庫が応輔を信頼していたとしたらなおさらです。そこで、知行所村々の側は、まず春日信吉郎に訴えて、信吉郎から兵庫を説得してもらおうと考えたのでしょう。ここからは、知行所村々のしたたかな戦略が窺えるように思います。また、春日氏の知行所村々はそれぞれかなり離れていましたが、互いに連絡を取り合って足並みをそろえているのです。

知行所村々は、上記の願書を出した天保九年七月に、矢嶋応輔の件で、春日信吉郎に宛ててもう一通の願書を差し出しています。それによると、応輔は、自分が辞職するなら、今まで自分が春日兵庫のために立て替えてきた金二〇両を返済するよう、知行所村々に求めてきたようです。しかし、知行所村々の側は、毎月春日氏に渡す生活費のほかに、天保八年（一八三七）一二月から同九年七月までの間に金一八六両余もの大金を臨時に応輔に渡してきたが、それらの使途がはっきりしないと、逆に応輔に対する疑惑を訴え、このままでは春日兵庫が抱える莫大な借金は毎年の年貢収入ではとても返済しきれないと述べています。一九世紀には、旗本たちはおしなべて財政難に苦しんでおり、それは春日氏も同様だったのです。

村々の側は、春日兵庫の借金の返済責任を押し付けられてはたまらないと考え、これまで上納した大金の使途が不明であることを問題視して、上納金を取り扱った矢嶋応輔がこれ以上勤続することは認められないと主張しています。多額の上納金の負担が耐え難いうえに、さらにその上納金が矢嶋応輔によって流用されているとなれば、百姓たちとしても黙っているわけにはいきません。そこで、春日信吉郎に対して、春日兵庫に応輔を辞職させるよう働きかけてほしいと願っているのです。

こうした村々の訴えは、功を奏したでしょうか。村々からの願書が出された翌月の天保九年（一八三八）八月に、春日兵庫は、知行所村々に宛てて一通の「申渡書《もうしわたししょ》」を出しました。そこには、中野田村名主政五郎《まさごろう》と上林村名主浅右衛門《あさえもん》を春日兵庫の家臣に取り立てる旨が記されていました。「申渡書」には明記されていませんが、政五郎と浅右衛門は、辞職した矢嶋応輔の後任として採用されたものと思われます。以後、酒井家に伝わる文書のなかに、応輔の名前はいっさい出てきません。応輔の辞職を求める村々の主張は認められたのです。この時期の村々は、領主の家臣の人事を左右するだけの力を付けていました。春日兵庫としても、応輔をかばい続けていては、百姓たちの批判が自分にまで向きかねないため、応輔の首を切らざるを得なかったのでしょう。

また、家臣への登用にともなって、政五郎は清水政五郎、浅右衛門は高橋浅右衛門と、それぞれ苗字を名乗るようになりました。江戸時代には、百姓たちも皆苗字をもっていましたが、一部の者を除いて、それをおおやけに名乗ることはできませんでした。この点、武士とは明確な身分格差が設けられていました。したがって、政五郎らが文書に苗字付きで署名するようになったということは、彼らは春日氏の家臣である間は武士身分へと身分上昇を遂げたことを意味しているのです（次頁❷）。

❖身分制の柔軟なあり方

江戸時代は身分制の社会で、武士と百姓の間にははっきりとした身分的な格差がありましたが、それは確固不動のものではなく、能力や献金の実績などによって、百姓から武士へと取り立てられる者もいました。このような身分の流動性は身分制の限界や弱点なのではなく、むしろこうした柔軟なあり方が身分制を維持するためには必要でした。領主は、

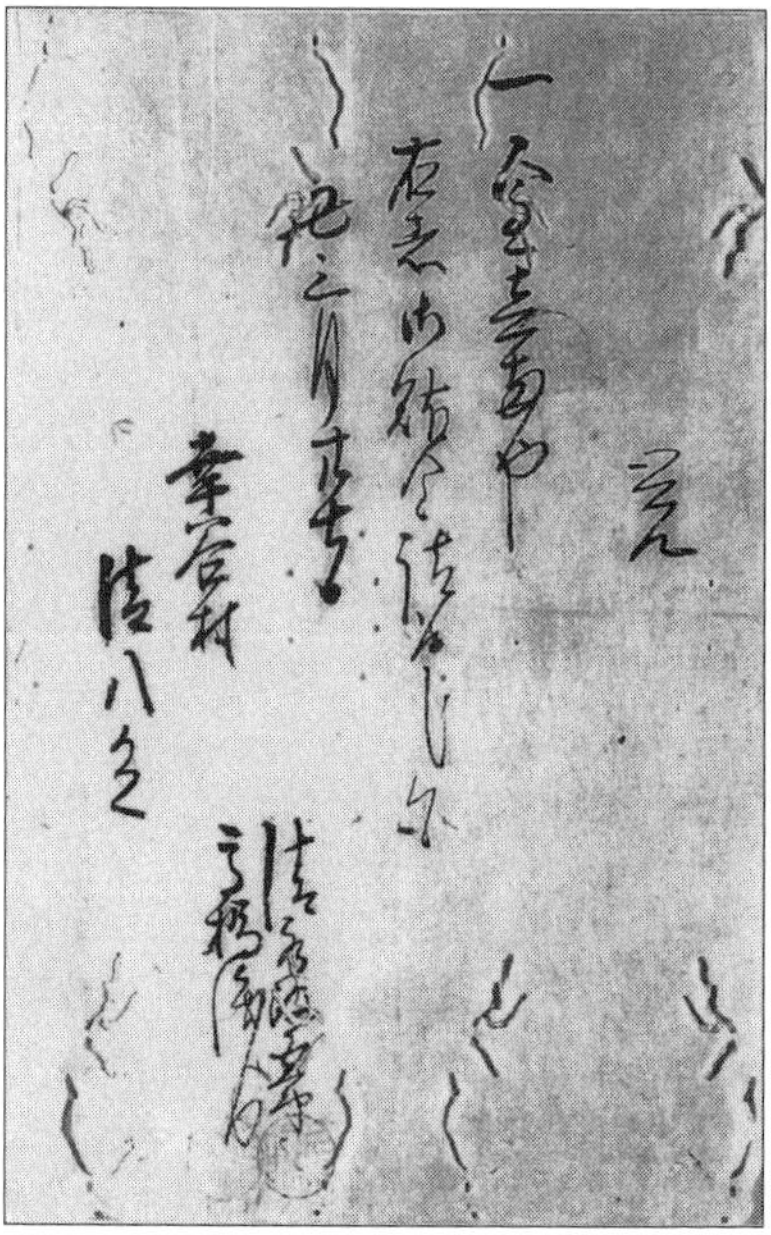

❷　**武士になって苗字を名乗る百姓たち**
これは幸谷村から春日氏への送金の受取ですが、差出人の清水政五郎と高橋浅右衛門は、春日氏の家臣に取り立てられたため、公的に苗字を記しています。

百姓たちに武士になれる可能性を与えることによって、百姓たちが身分制の理不尽さを批判するよりも、自分だけは何とか武士になりたいと思うように仕向けました。百姓のなかにも、武士になろうとして、積極的に領主に奉仕する者が出てきました。それによって、百姓たちが身分制そのものを批判することをかなりの程度抑止できたのです。

さらに、政五郎らの登用からは、名主を務める村の有力者を知行所支配の担当者に据えることによって、百姓たちとの関係を円滑化しようとする春日氏の意図がみてとれます。

一九世紀の春日氏は、財政難によって、上納金の賦課など村々に過分の負担をかけざるを得ませんでした。いきおい、百姓たちの不満や抵抗も強まります。それが表面化したのが、矢嶋応輔をめぐる一件でした。こうした事件が続発しては、春日氏の円滑な知行所支配は望めません。そこで知行所村々の事情を熟知した者を、知行所村々の百姓のなかから登用して知行所支配の担当者にすることによって、村々との軋轢《あつれき》を緩和しようとしたのです。

政五郎にしても浅右衛門にしても、元は知行所の名主であり、百姓身分でした。そのときは、知行所村々の百姓たちの利害を代弁して、春日氏に要求する側でした。それが、今度は、春日氏の家臣として、百姓たちに春日氏の命令や要求を伝える側に回ることになったのです。一八〇度の立場の転換でした。財政難の春日氏が知行所村々に出す要求には、上納金など村々の負担増を求めるものが多く含まれていましたが、政五郎や浅右衛門はそれを百姓たちに伝える立場になったのです。当然、彼らは、百姓たちの反発の矢面《やおもて》に立つことになりました。政五郎らとしては、身分上昇を遂げたことは嬉しかったでしょうが、今度は領主の要求と百姓の抵抗のはざまに立って苦心の調整をしなければならなくなったのであり、それを考えると手放しで喜ぶわけにもいかなかったことでしょう。

以上みてきた矢嶋応輔をめぐる一件からは、百姓たちに経済的な負担増を求めることによって立場が弱くなった春日氏に対して、百姓たちが家臣人事への発言力をもつまでに影響力を強めてきたことがわかります。百姓たちは、領主からの負担増をある程度受け入れざるを得ないという弱い立場にはあったものの、それに対してただ黙って従うばかりではなかったのです。

そして、春日氏は百姓たちへの融和策として、政五郎ら百姓出身者を家臣に登用することに踏み切りました。これは、領主側が支配建て直しのために打った一手ですが、逆に百姓側からみれば、百姓の武士層内部への食い込みであり、自分たちの代表者を領主の懐《ふところ》に送り込むことでもありました。政五郎らの登用は、こうした領主と百姓双方の思惑が交差したところに生まれたものだといえるでしょう。

❖続く百姓と領主のせめぎ合い

こうして矢嶋応輔の一件はひとまず落着したわけですが、それで春日氏の財政事情が一気に好転したわけではなく、したがって知行所村々と春日氏とのせめぎ合いも続きました。以後の経過を追ってみましょう。

天保一〇年（一八三九）二月には、又市が春日氏に、名主の辞職を願い出ています。このときの辞職願を、【古文書を読む　その4】としてあげました。又市は、辞職を願う理由として、家族の人数が少ないため農作業に手が回らないことをあげています。天保九年（一八三八）の冬に、又市の子紋次郎《もんじろう》が死去したため、当時は又市夫婦と老母と幼い子ども一人の四人暮らしで、農作業にも差し支えるありさまであり、そのうえに名主の業務などとてもできないというわけです。けれども、この辞職願は認められなかったようです。不許可の理由ははっきりしませんが、余人をもって換えがたいということだったのではないでしょうか。

❖古文書を読む　その4（これは、『松戸市古文書目録（3）』の整理番号一七九番の文書です）

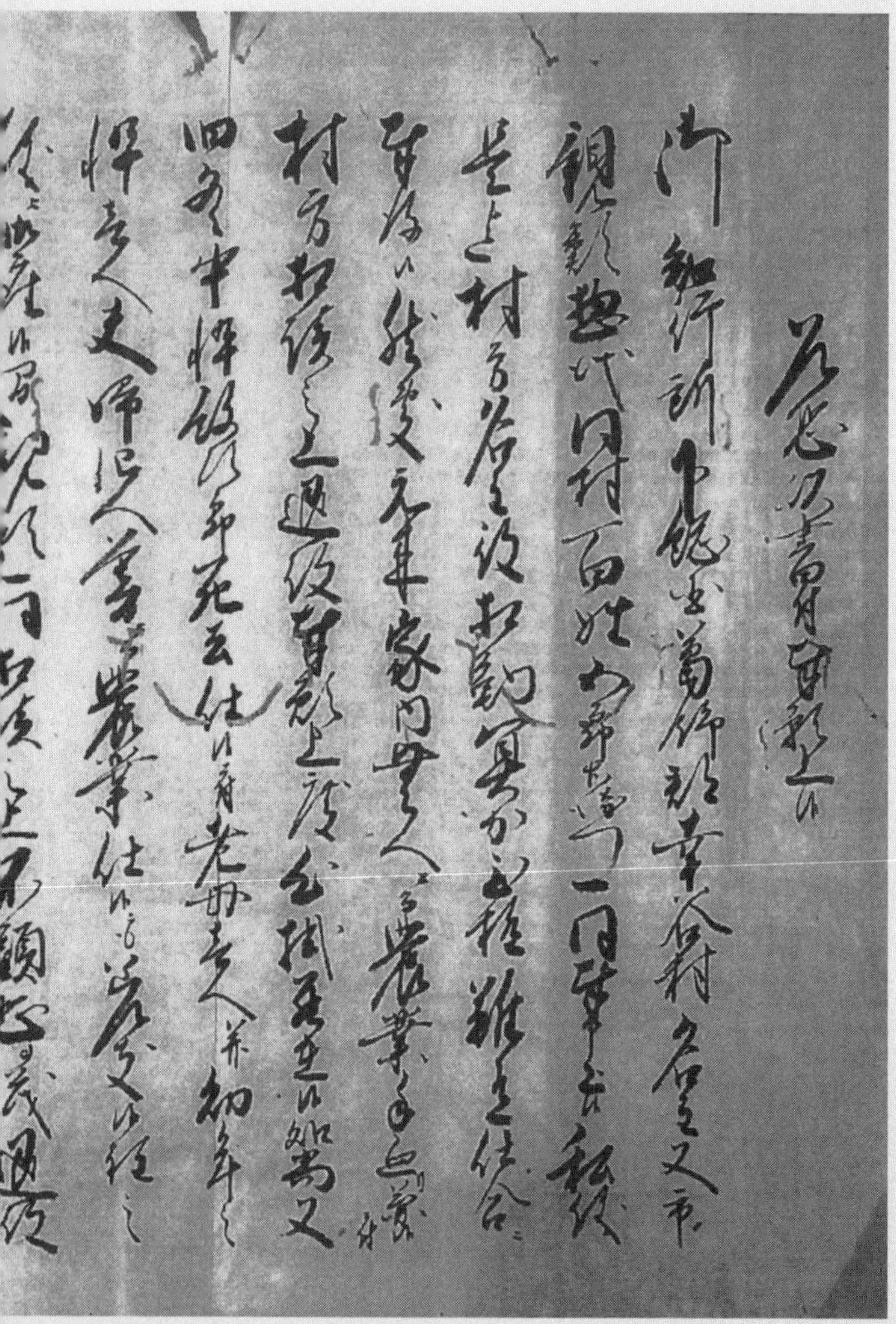

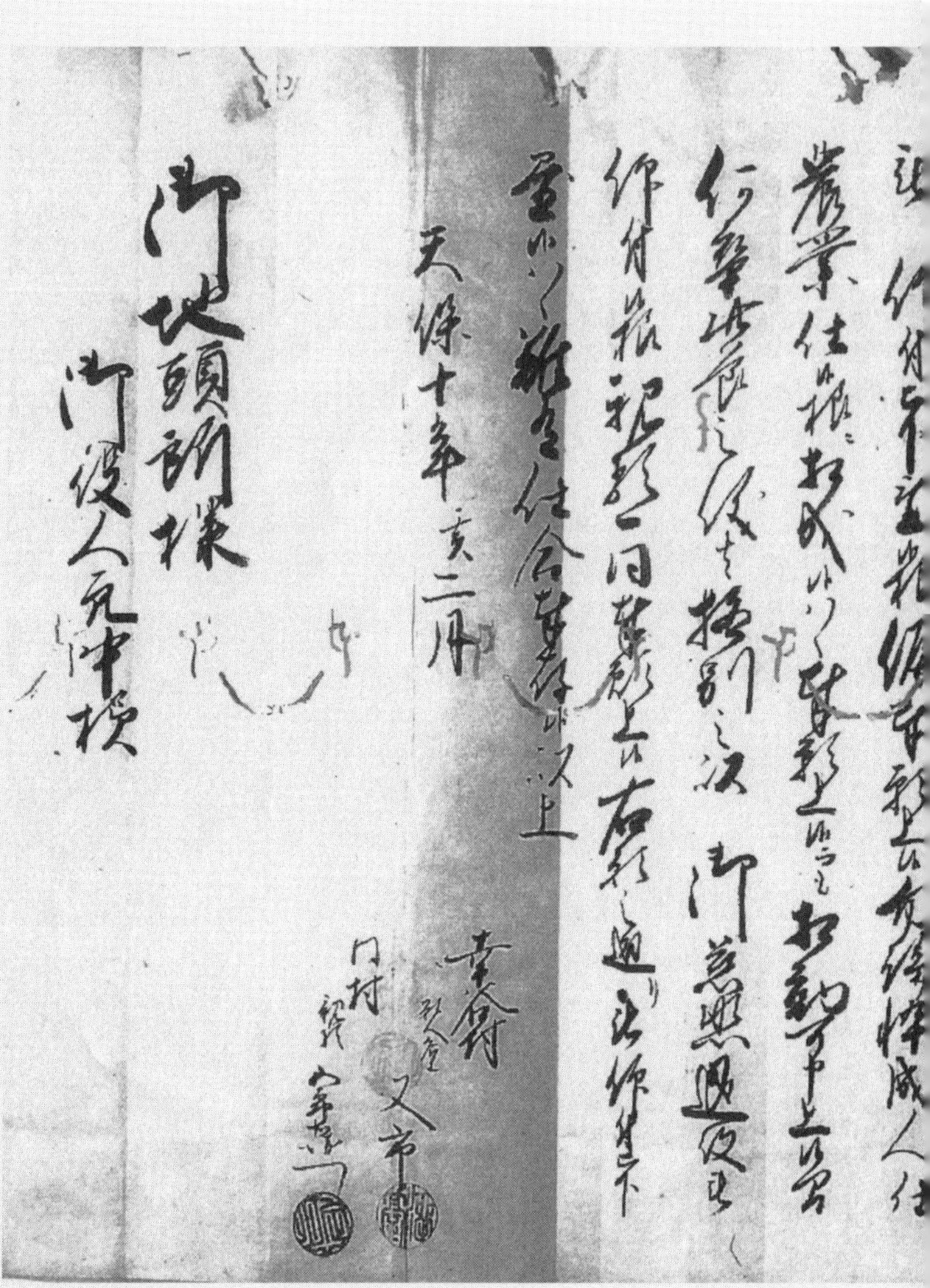

【翻刻】

乍恐以書付奉願上候
御知行所下総国葛飾郡幸谷村名主又市
親類惣代同村百姓五郎右衛門一同奉申上候私儀
是迄村方名主役相勤冥加至極難有仕合ニ
奉存候然処元来家内無人ニ而農業手廻り兼候ニ付
村方相談之上退役奉願上度心掛罷在候処尚又
旧冬中忰紋次郎死去仕候ニ付老母壱人幷幼年之
忰壱人夫婦四人暮ニ而農業仕候ニも差支候程之
儀ニ御座候間親類一同相談之上不顧恐ヲ茂退役
被①　仰付被下置候様偏ニ奉願上候勿論忰成人仕
農業仕候様ニ相成候ハ、奉願上候而も相勤可申上候間
何卒此節之儀者格別之以　御慈悲退役被
仰付候様親類一同奉願上候右願之通り被仰付被下
置候ハ、難有仕合奉存候以上
天保十年亥《い》二月　　幸谷村
願人《ねがいにん》名主

又　市㊞

同村

親類

五郎《ごろう》右《え》衛門《もん》㊞

御地頭所《ごじとうしょ》様

御役人衆中様

【読み下し】

恐れながら書付《かきつけ》をもって願い上げたてまつり候

御知行所下総国《しもうさのくに》葛飾郡《かつしかぐん》幸谷村《こうやむら》名主又市

親類惣代同村百姓五郎右衛門一同申し上げたてまつり候。私儀是迄《これまで》村方《むらかた》名主役相勤《あいつと》め、冥加至極《みょうがしごく》有り難き仕合《しあわ》せに存じたてまつり候。然《しか》る処《ところ》、元来家内無人《かないむじん》にて農業手廻り兼ね候に付《つき》、村方相談の上、退役《たいやく》願い上げたてまつりたく心掛け罷《まか》り在り候処《そうろうところ》、尚又《なおまた》旧冬中悴紋次郎《せがれもんじろう》死去仕《つかまつ》り候に付、老母壱人《ひとり》ならびに幼年の悴壱人・夫婦四人暮らしにて、農業仕り候にも差し支え候程の儀に御座《ござ》候間《そうろうあいだ》、親類一同相談の上、恐れをも顧みず退役仰《おお》せ付けられ下《くだ》し置かれ候よう、偏《ひとえ》に願い上げたてまつり候。もちろん忰成人仕り農業仕り候ように相成り候《そうら》はば、願い上げたてまつり候ても相勤め申し上ぐべく候間、何卒《なにとぞ》この節《せつ》の儀は格別の御慈悲をもって、退役仰せ付けられ候よう、親類一同願い上げたてまつり候。右願の通り仰せ付けられ下し置かれ候はば、有り難き仕合せに存じたてまつり候。以上。

【注】

① 「被」の次が一字分空いているのは、「闕字《けつじ》」という敬意表現です。「被」の次に来る「仰付《おおせつけ》」の主語は領主春日氏ですので、春日氏への敬意を表すために、春日氏の行為である「仰付」の上を一字分空けているのです。

その二行後の「御慈悲」の上が一字空いているのも、同じく闕字です。ここでも、「御慈悲」を示すのは春日氏ですので、「御慈悲」の上を一字分空けることによって、春日氏への敬意を示しているのです。

【現代語訳】

恐れながら書付をもって願い上げたてまつります

春日氏の領地である下総国葛飾郡幸谷村の名主又市が、親類の代表で幸谷村百姓の五郎右衛門とともに申し上げたてまつります。私（又市）は、これまで幸谷村の名主役を勤めさせていただいており、これも御領主様のおかげと、ありがたき幸せに存じたてまつります。

ところが、もともと我が家は家族が少なく、農作業の人手が足りないので、村人たちが相談して、辞職をお願い申し上げようと思っておりました。そうしたところ、さらに昨年冬に悴の紋次郎が死去したため、現在は老母一人、幼い悴一人と、われわれ夫婦の四人暮らしでして、農作業に差し支えるような状況になっております。そこで、親類一同が相談した結果、恐れをも顧みず、又市に辞職を命じてくださるよう、ひたすらお願い申し上げます。

もちろん、又市の悴が成人して農作業ができるようになったならば、こちらからお願い申し上げてでも、名主役を勤めるつもりですので、何とぞこのたびは格別のお慈悲をもって、辞職をお命じ下さるよう、親類一同からも願い上げたてまつります。以上お願いしたとおりにお命じ下さるならば、ありがたき幸せに存じたてまつります。以上。

❖領主の借金を百姓に転嫁

春日氏の財政事情が好転しないなか、天保一一年（一八四〇）二月には、春日兵庫から知行所村々に、次のような内容の「下知書《げちしょ》」（命令書）が出されました。

昨天保一〇年は旱害《かんがい》（水不足による作物の被害）に遭い、さらに米価が下落したため、年貢米を換金して得られる収入が減少した。すでに金《きん》四〇〇両余も知行所村々から年貢を先納《せんのう》（※1）させているが、それだけでは借金の返済や生活費には不足である。そこで、知行所村々に、このたび年貢のほかにさらに金二七五両の出金を申し付ける。もっとも、それ以外に、以後五年間は臨時の出金などは一切《いっさい》申し付けない。万一、家来の者が心得違いをして出金を命じるようなことがあっても、出金する必要はない。ただし、毎月の「賄金《まかないきん》」（※2）（春日氏の生活費などの諸経費）は、その都度《つど》滞りなく出金せよ。「賄金」の出金が滞りなくなされれば、村役人が江戸に出府《しゅっぷ》する必要はない（※3）。今後五年間は自身（春日兵庫）も倹約に努め、家来も含めてほかからの借金はしない。

これは、金二七五両という巨額の臨時出金の命令です。さらに、春日氏は、それまでの多額の借金の返済を知行所村々の百姓たちに転嫁してきました。自分の代わりに、百姓たちが借金を返済しろというわけです。これには、知行所村々から抗議の声が上がりました。天保一一年二月に、知行所六か村の百姓たちを代表して、中丸村の弥右衛門《やえもん》と中野田村の友右衛門《ともえもん》が次のような嘆願書を差し出しています。

私どもの村々は、もともと人口が少なく困窮しておりました。とりわけ、文政《ぶんせい》四年（一八二一）の旱魃《かんばつ》以来おいおい困窮に陥り、百姓たちは一層難渋するようになりました。さらに、天保七年（一八三六）から飢饉《ききん》が続いたため、それ以降は日々の食糧にも差し支えるありさまで、このままでは村が滅ぶのではないかと心配しております。工夫をこらし懸命の努力をして、何とか年貢を納め、飢えをしのぎ、どうにか日々を暮らしている状況です。

そこへ、文政一〇年（一八二七）から天保三年（一八三二）までの六年間、年に金一〇〇両ずつ、合計六〇〇両を、殿様の借財を返済するために上納しました。天保五、六両年には、また臨時に内々の入用があるが殿様の手元にはそれに充てる金がないということで、村々に上納金が命じられました。そこで、知行所村々が相談し、何とか両年で金二〇〇両を上納しました。さらに、天保九年（一八三八）には、殿様のご家族の縁談に必要だといわれて、金一三〇両を上納しました。これらを合わせると、文政一〇年以降に金九三〇両余を、年貢以外に余計に上納したことになります。

そうしたところに、昨天保一〇年暮に、また臨時の入用があるということで、知行所村々から金四〇〇両余を上納するように仰せ渡されました。村々では、とてもそんな大金は調達できないと嘆願しましたが、聞き入れてもらえなかったので、村役人たちが所持する田畑を質入れして借金し、何とか四〇〇両余を上納しました。この四〇〇両余を加えると、文政一〇年以降に金一三〇〇両以上を過分に上納しています。

この過大な上納金に加えて、天保七年以来の飢饉のために、百姓たちは食べる物にも不自由し、家財や田畑・山林を手放した結果、手元に残ったのは地味の悪い耕地のみというありさまです。そこへ、天保一〇年に村役人から上納した四〇〇両余を、百姓一同で割り合って出金するよう申し渡されました。

これには、百姓一同驚いております。四〇〇両余もの大金を一般の百姓たちが出せるはずもなく、そのため百姓たちはたいへん当惑し、老若男女を問わず嘆き悲しみ、途方に暮れております。そこで、恐れをも顧みず、私たちが代表として嘆願するしだいです。何とぞ格別のお慈悲をもって、百姓たちが難渋・困窮している状況をご賢察くださり、四〇〇両余を百姓たちに負担させるとのご命令は撤回してくださるようお願い申し上げます。

以上の嘆願書から、自然災害や飢饉に追い打ちをかけるように、春日氏から過大な上納金を課されて困惑する百姓たちの姿が浮き彫りになります。文政一〇年以降課された上納金のなかには純粋な献金（領主の返済義務なし）もあったかもしれませんが、少なくとも天保一〇年に村役人たちから上納した金四〇〇〇両余は、献金ではなく、春日氏への貸金でした。村役人たちは、緊急に金が必要な春日氏のために、一時的に金を用立てただけだったのです。したがって、春日氏には、村役人たちへの返済義務がありました。

ところが、天保一一年二月になって、春日氏はその返済を知行所村々の百姓たちに転嫁

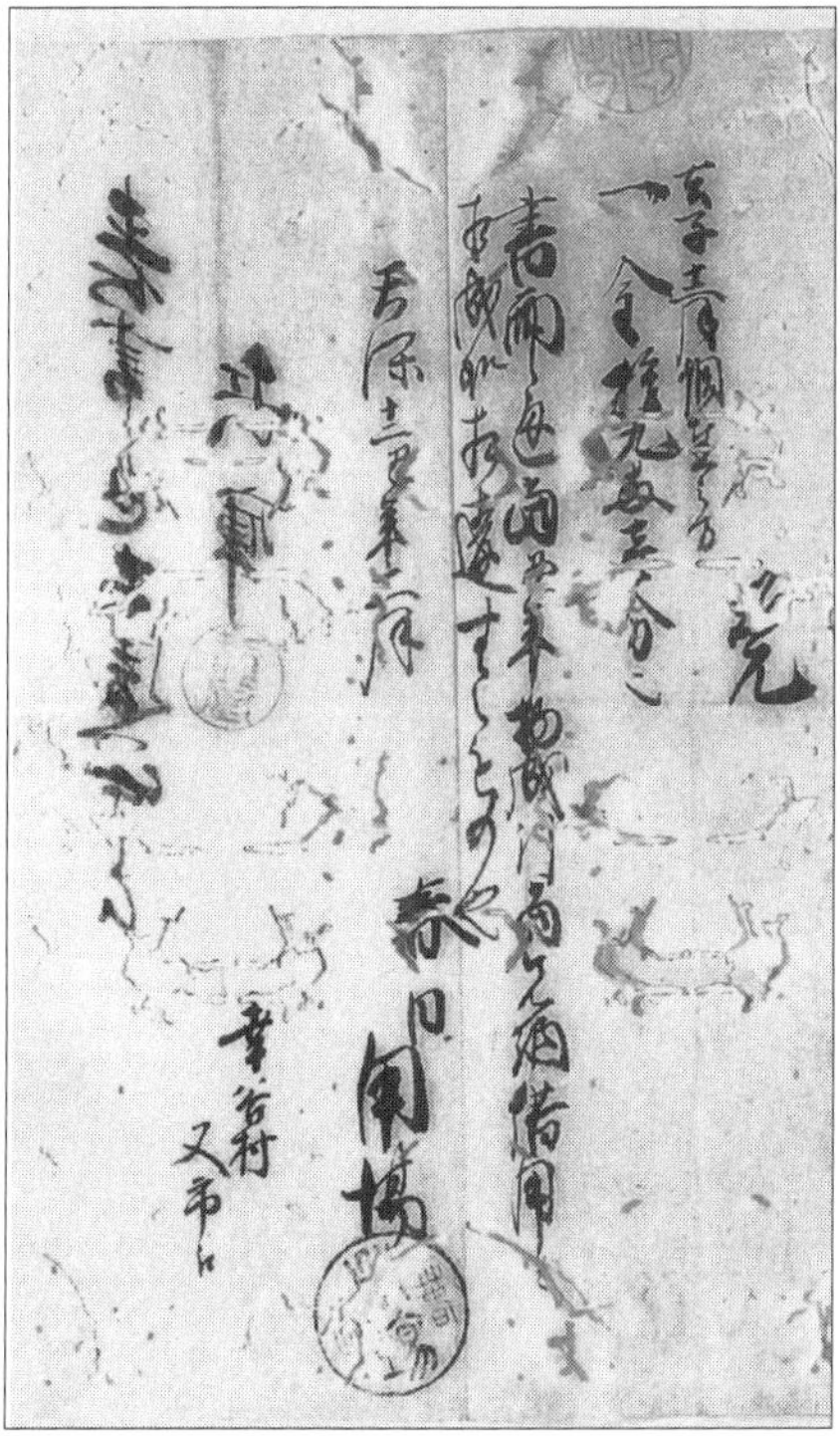

❸　春日氏の役所から幸谷村に出された借用証
この借用証は、天保一二年（一八四一）分の年貢を前年の一二月に前納させたことにともなって出されました。前納金は、年貢の正規の納入期限まで、春日氏が幸谷村から借りているという扱いになるのです。文書の裏面には、当主の春日兵庫も記名捺印しているのが透けて見えます。

してきました。春日氏が村役人に返済する代わりに、百姓たちが金を出し合って村役人に渡すよう命じたのです。これには、百姓たちが納得するはずもなく、そこで上記の嘆願書の提出となったわけです。

一九世紀前半は気候が寒冷な年が多く、冷害による凶作がたびたび百姓たちを襲いました。それに加えて、領主からの度重なる上納金要求です。先述したように、一九世紀には、百姓たちも領主に対して敢然と自己主張するようになっていましたが、それでも領主と領民という身分差、立場の違いは歴然ですから、百姓たちは領主の上納金要求を断固拒否するというわけにはいかなかったのです。それでも、この事例においても、百姓たちは、自分たちの困窮状況を訴えて領主のお慈悲を乞うという低姿勢ではありますが、実質的には領主の命令の撤回を強く求めているのです。やはり、百姓たちは領主の言いなりではありませんでした。ただ、残念ながら、このあと百姓たちの嘆願が認められたかどうかは、史料が残っていないためわかりません。

※1　先納とは、年貢を正規の期限より早く納入させることです。いわば、年貢の前借です。

※2　このころ、春日氏は毎年秋の米の収穫後に納入される年貢を待っていられず、毎月、知行所村々から生活費等を受け取っていました。これが「賄金」です。「賄金」は、その年に納めるべき年貢と相殺《そうさい》されました。それだけ、財政が逼迫《ひっぱく》していたのです。

※3　出府とは、江戸に出かけることです。村役人が領主の用事で江戸に呼び出されれば、そのたび

に交通費や宿泊費がかかり、それは村役人が自己負担しなければなりません。また、その間、村役人は農作業など自分の仕事をすることができません。そうした村役人の負担を軽減するために、出府を免除すると言っているのです。

❖幕末になってさらに深まる矛盾

その後も春日氏の財政は一向に好転せず、したがって知行所村々への出金要求も途絶えることはなかったため、それをめぐる矛盾もなくなりはしませんでした。それどころか、幕末になって外国船が来航するようになると、武士たちは海防のために軍備を整える必要が出てきたため、その軍資金を知行所村々に賦課したので、矛盾はさらに深まりました。

嘉永《かえい》七年（＝安政《あんせい》元年、一八五四）一月には、春日氏は幸谷村の又市に金一二両の御用金《ごようきん》を命じました。外国船への対応のために必要だという理由です。御用金とは領主の借金で、後日返済されるべきものでしたが、実際は返済されないことも多かったのです。また、仮に後日返済されるとしても、当面まとまった金を上納すること自体、百姓にとっては大きな負担になりました。そのため、又市は、そのような大金はとても用意できないとして、免除を願っています。しかし、結局断り切れず、金八両の上納を承諾して、一月二八日にはそのうち五両を上納しています。

ちなみに、天保一二年（一八四一）に幸谷村春日氏領に賦課された年貢は、米などもすべて金に換算すると合計金一九両でした。この金額は、凶作の年などには年貢が減免されるので、もっと少なくなります。この額と比べると、又市に課された金一二両というのは、相当な高額であることがわかります。一九世紀の百姓たちにとって、年貢はもちろん大きな負担でしたが、それに加えて御用金や上納金が年貢を上回るくらいの重い負担だったのです。

嘉永七年（一八五四）には、春日氏への出金をめぐって、村人同士のトラブルも発生しています。同年五月に、又市（この時点では村役人ではありません）の子又五郎《またごろう》が、病気の又市に代わって、名主清八《せいはち》に不正行為があったとして、春日氏に訴え出ているのです。又五郎の主張を聞いてみましょう。

嘉永四年（一八五一）に、春日氏から御屋敷の修復費用として、幸谷村春日氏領の百姓全体へ金一二両、それとは別に又市一人へ金一〇両の御用金を仰せ付けられたので、それぞれ上納しました。すると、翌嘉永五年五月に、春日氏から幸谷村春日氏領へ金七両二分《ぶ》、又市へ金五両、計一二両二分が返済されたということで、清八から金五両を受け取りました。村に返された金七両二分は、村人たちで相談のうえ、出金した各村人には割り戻さず、今後出金が必要になったときのために備えておくことにしました。

それ以外は未返済だということなので、又市をはじめ出金した村人たちが相談して、未返済分の金九両二分についても春日氏に返済を願おうということになり、その旨を名主清八に伝えました。すると、清八からは、「御用金は先般全額返済されており、金九両二分は自分が預かっている」との返答がありました。しかし、それには納得できません。

春日氏から返済されたならば、その都度速やかに出金者に割り戻すべきであり、幸谷村分の金四両二分と又市分の金五両、およびそれらの利息（※）を、今まで清八が隠していたのです。それを、われわれからの掛け合いを受けたため、今になって「返金分は預かっていた」などと言っているのです。

また、天保一四年（一八四三）以来たびたび上納してきた分についてもどうなっているのか疑わしく思って、清八に掛け合いましたが、清八はとりとめのない返答をするばかりです。これは、清八が春日氏からの返済金を自分のものにしようとしているに違いありません。まったく不法千万のやり方です。どうか、清八を召喚して、清八に横領した金を渡すように仰せ付けてください。

この件では、又市・又五郎と清八の双方が立ち会って、関係の帳面を改めることになりました。その結果、嘉永四年の上納金については、春日氏からの返済金のうち、清八が預かったままで、又市に渡していない分があることが確認できたため、この分は清八から又市に渡すことになりました。また、天保一四年から嘉永三年までの又市の上納金については、すでに春日氏からの返済金を又市に渡し済みだったり、返済金を又市が納めるべき年貢と相殺したりしていることがはっきりしました。

こうして、嘉永七年六月に、両者の間で示談が成立して、この一件は無事解決したのです。示談の内容をみると、嘉永四年の上納金については又市の主張が認められ、嘉永三年以前の分については清八の主張が認められています。双方ともに、主張の一部ずつが認められたわけです。そのため、双方とも納得したのでしょう。

この一件によって、春日氏は名主清八の村運営に不安を抱いたのでしょうか、一件の直後の嘉永七年七月に又市を再度年寄《としより》に任命し、組頭卯之助《うのすけ》と協力して村運営に当たるよう命じています。年寄とは、名主と組頭の中間的な役職、すなわち正式の名主ではありませんが、組頭より上位で、名主に準じる役職のようです。このとき、清八は辞職したのかもしれません。

この一件は、春日氏と村人たちとの対立ではなく、村人同士の対立でした。しかし、その背景には、やはり春日氏からの度重なる上納金の要求があったのです。そして、又市・又五郎側はこの件を春日氏に訴えたものの、主張の当否の判断を春日氏に任せきりにするのではなく、当事者同士で関係書類を精査することによって、双方ともに納得できる解決を導いています。ここでも、百姓たちの自主的な問題解決能力が発揮されているのです。

また、問題解決のためには、必要書類をきちんと作成し、それをしっかり保存しておくことが大切だったことがわかります。第二章でも述べましたが、公文書の作成・保存の重要性は江戸時代も今も変わりありません。

※　御用金は春日氏の借金ですから、返済の際には、春日氏が元金に利息を付けて返す必要がありました。領主と百姓との貸借関係においても、そのへんはきちんとしていたのです。

第六章

イワシも屎尿《しにょう》も貴重な肥料

――裁判をいとわない百姓たち

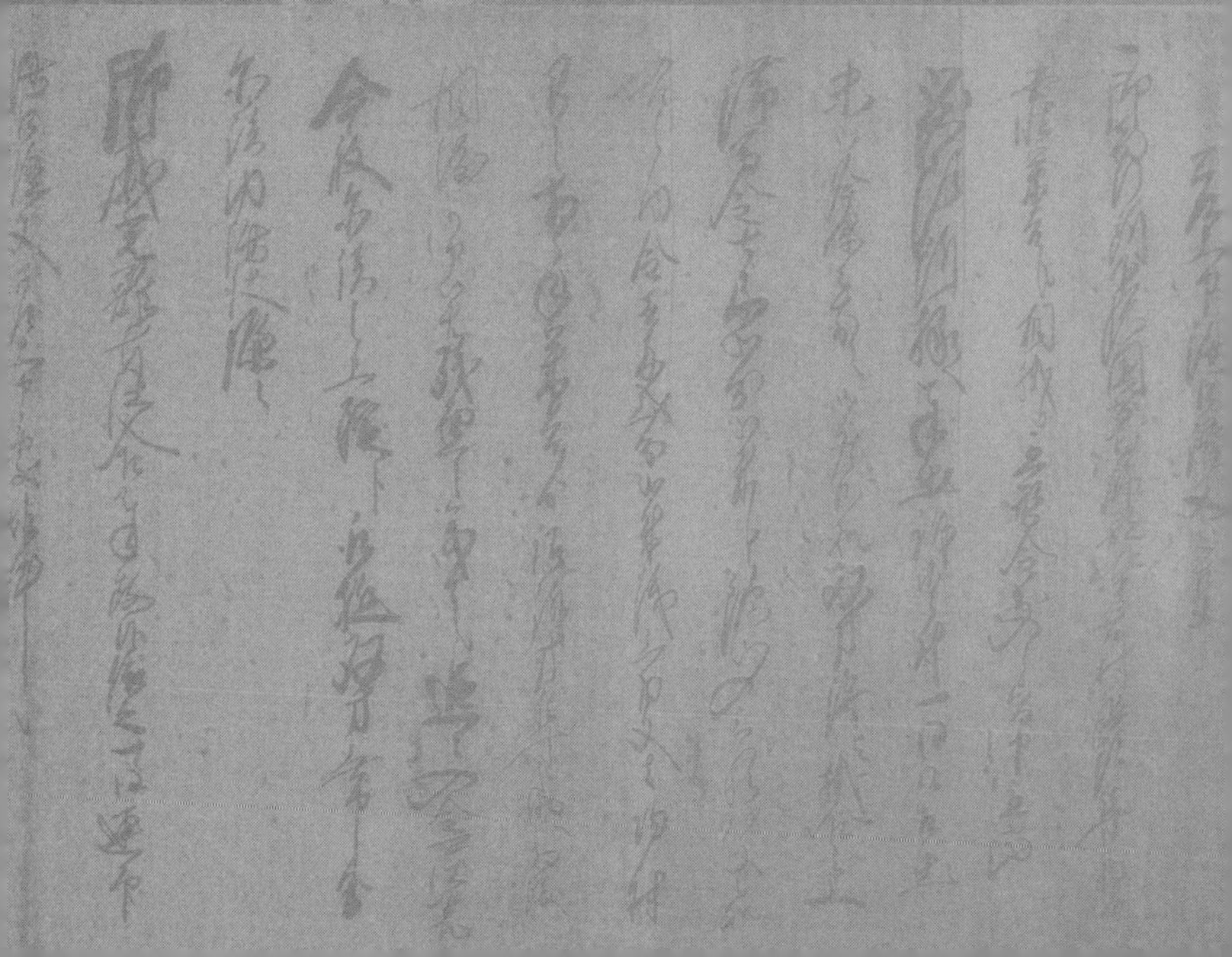

❖肥料の売買をめぐるトラブル

本章では、農業に不可欠な肥料の入手をめぐる問題から、百姓たちの姿に迫ってみましょう。幕末の幸谷村春日氏領に、栄吉《えいきち》という百姓がいました。彼は、安政《あんせい》三年（一八五六）に三八歳で、家族は五人おり、一畝《せ》余の土地を所有していました。ところが、彼は普段から大酒を飲み、農作業を怠るありさまで、さらには博打《ばくち》にふけっているという悪い噂までありました。そして、安政三年には次のような問題を起こしたのです。

栄吉は、嘉永《かえい》五年（一八五二）に、下総国《しもうさのくに》葛飾郡《かつしかぐん》金ケ作村《かねがさくむら》（現松戸市）の名主石川彦次右衛門《いしかわひこじえもん》から干鰯《ほしか》や〆粕《しめかす》（※1）といった肥料を購入して、それを幸谷村の六人の百姓たち（春日氏領の百姓一人、曲淵氏領の百姓二人、古田氏領の百姓三人）に売り渡しました。栄吉は彦次右衛門から先に干鰯を受け取り、代金は後日栄吉が全員分を取りまとめて彦次右衛門に渡す約束でした。つまり、栄吉は売買の仲介役で、彦次右衛門と幸谷村の百姓たちの橋渡しをしたのです。

そこまでは問題ないのですが、その後、栄吉は、自身と六人の村人の干鰯購入代金計一〇両三分《ぶ》余をなかなか彦次右衛門に渡しませんでした。そのため、栄吉が干鰯代金を横領したという噂が立ち、それが関東取締出役《かんとうとりしまりでやく》（※2）太田源助《おおたげんすけ》の耳にも入ったため、安政三年に栄吉は関東取締出役に捕縛され吟味を受けそうになったのです。そうなると、大ごとです。そこで、彦次右衛門らが関東取締出役にしばらくの猶予を願い、栄吉に事情を聞き糺《ただ》しました。

栄吉が弁解するには、「私は、博打や悪事に携わったことはありませんが、体が弱くてとかく農業を怠りがちでした。以前、彦次右衛門方で奉公していたことがあり、その後も同家には出入りしていました。その縁で同人から干鰯を買って、村の六人に売り渡しました。彼らから代金を取り集めて、彦次右衛門方へ持参しようとしたのですが、ちょうどそのとき大病を患《わずら》って歩けなくなってしまいました。私はたいへん困窮していて、薬を買う金もなかったので、余儀なく干鰯代金の一部を使い込んでしまいました。そのため、彦次右衛門への干鰯代金の支払いが延び延びになってしまったのです。さらに、日頃から私には良からぬ噂が立っていたため、今回のような事態になってしまいました」ということでした。

また、栄吉から干鰯を買った六人も、代金を栄吉のような身持ちの良くない者に渡したのは心得違いだったと反省の意を表しました。代金は、直接彦次右衛門に渡すべきだったということです。栄吉自身も先非《せんぴ》を後悔して、干鰯代金は全額彦次右衛門に払いました。そして、以後は心を入れ替えて農業に励み、百姓を続けていきたいと誓いました。そのうえで、何とか関東取締出役に取りなしてほしいと近隣の有力者たちに嘆願したのです。

有力者たちも不憫《ふびん》に思って、安政三年八月に、関東取締出役に対して、「栄吉は彦次右衛門に支払いが遅れたことを詫びたうえで代金を支払い、彦次右衛門もそれで納得したことでもありますので、栄吉の吟味は取り止めにして、彼の身柄は私たちにお預けください」と願っています。この嘆願が認められて、栄吉は吟味や処罰を免れることができました。しかし、これで一件落着とはならなかったことは後で述べるとおりです。

安政三年には、同様の問題がもう一つ起こっています。下総国葛飾郡船橋五日市村《ふなばしいつかいちむら》（五日市村は船橋村の一部、現千葉県船橋市）の百姓新右衛門《しんえもん》が、幸谷村春日氏領の百姓常七《つねしち》を相手取って、関東取締出役太田源助に訴え出たのです。訴えの内容は、栄吉の場合と同じく干鰯代金の滞納です。常七が新右衛門から、代金後払いの約束で干鰯を買ったものの、なかなか代金を支払わなかったため、業《ごう》を煮やした新右衛門から訴えられたというわけです。

そこで、常七は安政三年一二月に関東取締出役に呼び出され、吟味を受けることになりました。そのとき、船橋村の有力者が仲裁に入って、双方の言い分を聴取しました。常七が言うには、「代金を滞納するつもりはありませんでしたが、近頃不作が続いたため支払いが遅れてしまったのです」とのことでした。滞納したのは事実ですが、それにはやむを得ない事情があったというわけです。

この弁明は認められて、干鰯代金一一両三分《ぶ》二朱《しゅ》、銀三匁《もんめ》三分《ふん》二厘《りん》のうち七両は常七がすぐに支払い、残りの金四両三分二朱、銀三匁三分二厘は新右衛門の好意で支払いを免除してもらうことで示談が成立しました。それを受けて、新右衛門は訴訟を取り下げ、ここに干鰯売買をめぐるトラブルは無事解決したのでした。

※1　干鰯とは、イワシを天日干《てんぴぼ》しして乾燥させたもの。江戸時代の代表的な購入肥料でした。千葉県の九十九里浜《くじゅうくりはま》が特産地です。〆粕は、綿の実や菜種、または魚から油を搾ったあとの粕で、やはり肥料として用いられました。

※2　関東取締出役は文化《ぶんか》二年（一八〇五）に幕府が新設した役職で、関東地方のほぼ全域を巡回して、そこがどこの領主の領地であるかに関係なく、警察的活動や風俗改善の教諭を行なって、地域の治安・秩序の維持や身分・風俗の統制に当たりました。

❖栄吉をめぐるトラブル、再び

先に述べたように、栄吉は彦次右衛門に干鰯代金を支払うことで、関東取締出役の吟味を免れることができました。しかし、栄吉が彦次右衛門に払った金は、彼の自己資金ではありませんでした。栄吉の親類や組頭の隼之助《はやとのすけ》（又市の子）が立て替えてあげたのです。隼之助が立て替えたのは、金二両二分でした。そして、栄吉は、その立替金の返済も滞らせてしまったのです。

栄吉は、このとき同時にもう一つの問題も起こしていました。彼は、三村新田《みむらしんでん》（※）（現松戸市）名主の三平《さんぺい》の所有地を小作《こさく》していたのですが、その小作料を三平に納めなかったため、安政三年一二月に、三平から関東取締出役に訴えられてしまったのです。そのため、栄吉は関東取締出役から呼び出されましたが、どこかへ行方《ゆくえ》をくらましてしまいました。

肥料代金をめぐるトラブルの直後でもあり、今回吟味を受ければ処罰は免れないと思って逃亡したのでしょう。

そこで、仕方なく又市らが三平に詫びを入れ、栄吉が滞納している小作料を代わりに支払ったため、その場は何とか収まりました。その後、栄吉を探し出すことはできましたが、彼は又市らが立て替えた小作料を払おうとしません。そのため、先の彦次右衛門に関わる立替金やその他の貸金も含めて、又市が栄吉から受け取るべき金額は金七両二分二朱と銭《ぜに》二貫《かん》三八文《もん》にものぼりました。

又市が栄吉に掛け合っても栄吉が支払おうとしないため、安政四年二月に、又市（実際には、又市の代理として子の隼之助が訴え出ました）は仕方なく春日氏に訴え出ました（この場合は、又市も栄吉もともに春日氏領の百姓だったため、関東取締出役ではなく春日氏に訴え出ています）。又市からすれば、栄吉に金を貸して彼の窮状を救い、彦次右衛門や三平とのトラブルを丸く収めてあげたのに、栄吉が借金を返さないというのは、恩を仇《あだ》で返す行為だということになります。

当事者同士の交渉では金を返そうとしなかった栄吉ですが、領主に訴えられてはそのままにしておくわけにはいきません。又市と栄吉は江戸に呼び出されましたが、春日氏の役所で審理が始まる前に、双方の間で話し合いがもたれた結果、安政四年二月に、①栄吉の滞納分金七両二分二朱と銭二貫三八文のうち、金一両二分二朱と銭三〇〇文は帰村したら

❶　幸谷村にある酒井家の墓所
墓所には江戸時代の墓石も複数あります。

すぐに支払う、②金二両二分は二月二五日までに支払う、③残りの金三両二分と銭一貫七三八文は、栄吉の困窮している状況に配慮して、おいおい支払いを求める、ということで示談が成立しました。このとき隼之助と栄吉が連名で春日氏の役人に差し出した和解文書を【古文書を読む　その5】として示しました。

又市としても、同じ村に住んでいる栄吉の経済状態はよくわかっていたため、当面は未返済分の一部でも返済されればそれでよしとしたのでしょう。栄吉は、このときも、先非を後悔して、以後は改心し禁酒して農業に励むことを約束しています。ただし、この後、栄吉が実際に改心したのか、またどのように返済を実行したのかは、史料が残っていないため残念ながらわかりません。

※　新田とは、江戸時代に新しく成立した村のことです。

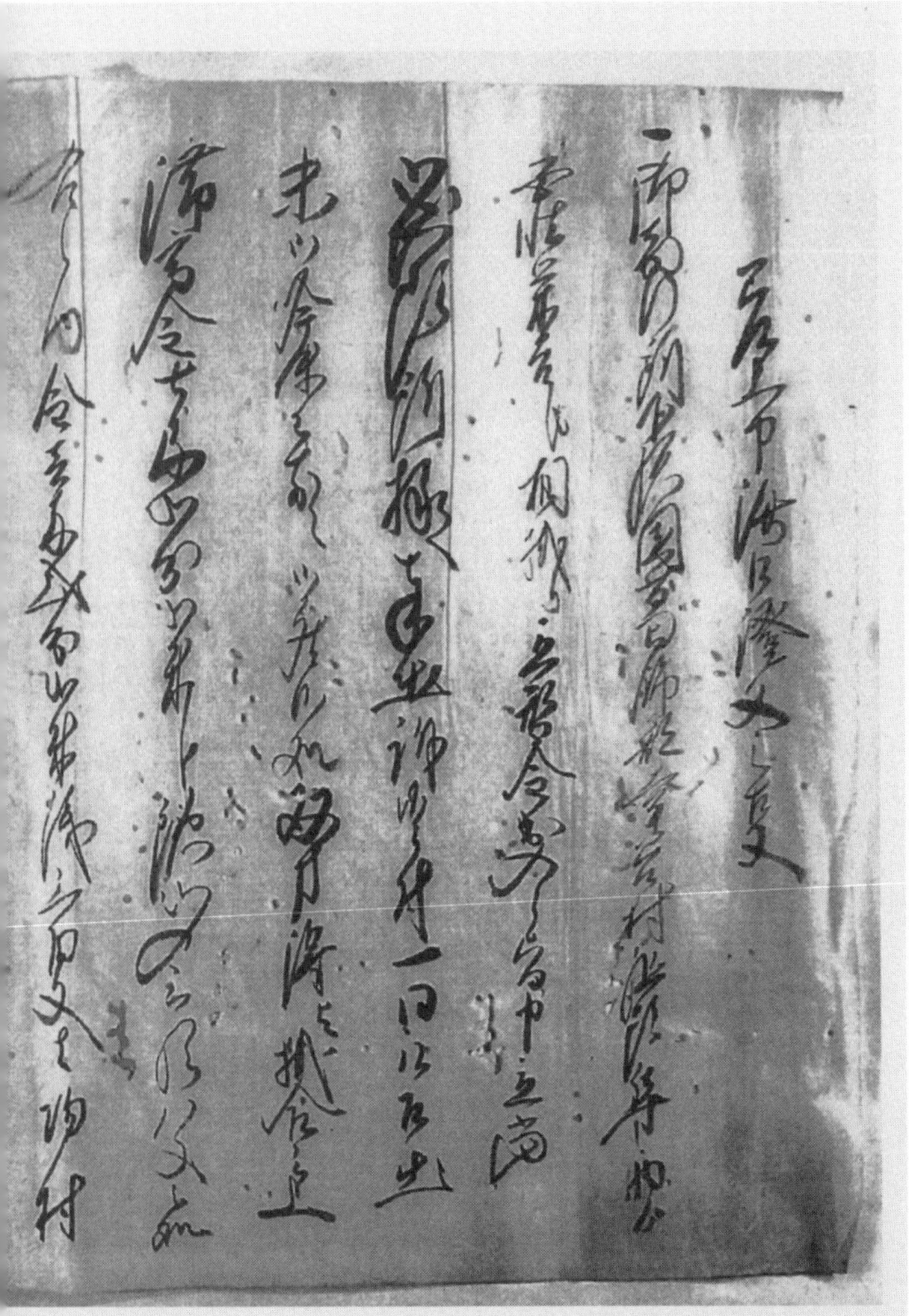

❖古文書を読む　その5（これは、『松戸市古文書目録（3）』の整理番号二八七番の文書です）

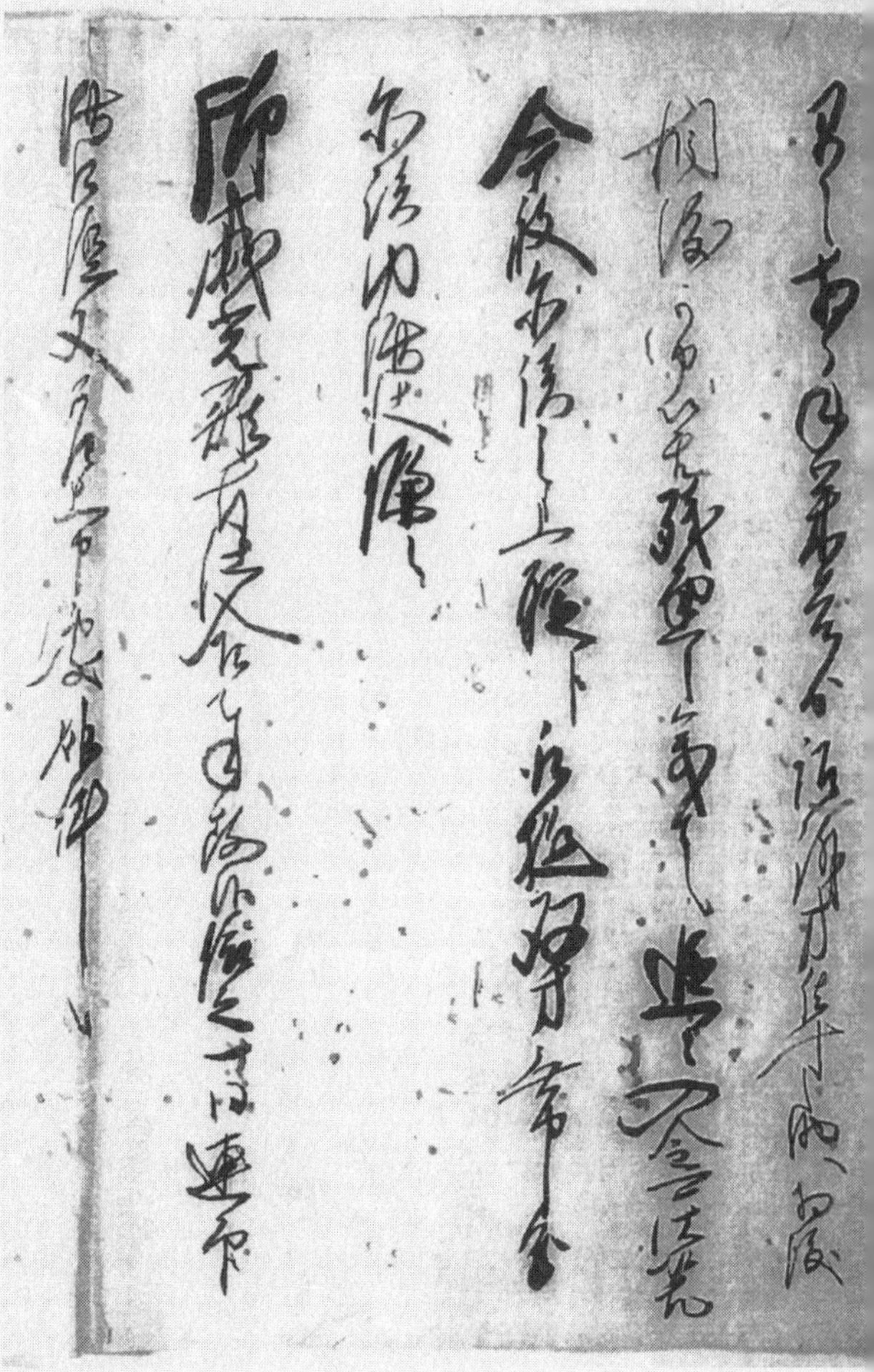

【翻刻】

差上申済口証文①之叓《こと》②

一御知行所下総国葛飾郡幸谷村組頭隼之助ゟ《より》③
百性④栄吉江相掛り立替金出入之旨申立当
御地頭所様へ奉出訴候ニ付一同被召出
未御吟味已前ニ御座候処双方得与掛合之上
滞高金七両弐分弐朱ト鐚⑤弐貫三拾八文之処
右之内金壱両弐分弐朱銭三百文者帰村
早々相手栄吉ゟ訴訟方隼之助へ相渡
相渡⑥可申筈残金之義者追々入金可仕筈
今般示談之上聢ト取極双方無申分
示談内済⑦仕偏ニ⑧
御威光難有仕合奉存候依之一同連印
済口証文差上申処如件

（以下、差出人・宛先等は省略）

【読み下し】

差し上げ申す済口証文《すみくちしょうもん》の事

一《ひとつ》、御知行所下総国葛飾郡幸谷村組頭隼之助《はやとのすけ》より
百性《ひゃくしょう》栄吉え相掛かり、立替金出入《でいり》の旨申し立て、当
御地頭所様《ごじとうしょさま》へ出訴したてまつり候に付き、一同召し出され、
未だ御吟味以前に御座候《ござそうろう》ところ、双方とくと掛け合いの上、
滞《とどこお》り高《だか》金七両弐《に》分弐朱と鐚《びた》弐貫三拾《じゅう》八文のところ、
右の内金壱《いち》両弐分弐朱、銭三百文は、帰村
早々、相手栄吉より訴訟方隼之助へ相渡し
相渡し申すべき筈、残金の義は追々入金仕《つかまつ》るべき筈、
今般示談の上、聢《しか》と取り極め、双方申し分なく
示談内済《ないさい》仕り、偏《ひとえ》に
御威光と有り難き仕合せに存じたてまつり候。これに依《よ》りて、一同連印
済口証文差し上げ申すところ、くだんのごとし。

【注】

①「済口証文《すみくちしょうもん》」とは、争い（出入《でいり》）が示談で解決したとき、示談で取り決められた和解内

容を記した証文のことです。

② 「叓」は「事」の異体字《いたいじ》です。異体字とは、漢字や仮名の標準字体以外のものです。意味は、どちらも同じです。

③ 「ゟ」は、今は使いませんが、「より」という字です。【古文書を読む　その3】にも出てきました。

④ 江戸時代には、「百姓」を「百性」と書くことも頻繁にありました。

⑤ 「鐚《びた》」とは、江戸時代に流通していた銭のことです。

⑥ ここは、「相渡《あいわたし》」の語がダブっています。書き誤りでしょう。

⑦ 「内済《ないさい》」とは、示談・和解のことです。

⑧ ここは行の途中で改行になっていますが、これは「平出《へいしゅつ》」という敬意表現です。「御威光」という領主に関する語が、行の途中に来ては領主に対して失礼だという考え方により、わざと改行して「御威光」の語が行の一番上に来るようにしているのです。なお、平出は、闕字《けつじ》よりも敬意の程度が一段高い表現です。

【現代語訳】

差し上げます済口証文のこと

一、春日氏の領地である下総国葛飾郡幸谷村の組頭隼之助が、百姓の栄吉を相手取って、隼之助が立て替えた金に関して、両者の間で争いになっているといって、御領主様（春日氏）に訴え出ました。そこで、関係者一同が江戸の春日氏の役所に呼び出されました。

春日氏の役人による取り調べが始まる前に、隼之助と栄吉がよく話し合った結果、栄吉が隼之助に対して返済を滞らせていた金七両二分二朱と銭二貫三八文のうち、金一両二分二朱と銭三〇〇文は、幸谷村に帰ったらすぐに、被告の栄吉から原告の隼之助へ渡すこととします。残金については、おいおい隼之助へ返金することとします。

今般交渉の結果、前記のとおりしっかり取り決めたので、双方ともに申し分なく示談が成立しました。これもひとえに御領主様の御威光のおかげであり、ありがたき幸せに存じたてまつります。そのため、一同が連印して、このとおり済口証文を差し上げます。

❖裁判をいとわない百姓たち

ここまでお読みになった方は、「江戸時代の百姓たちは、けっこう頻繁に訴訟を起こしていたんだな」とお感じなのではないでしょうか。確かに、百姓たちは、何か問題が起こると、私たちの想像以上に躊躇《ちゅうちょ》なく訴訟に踏み切っていました。しかし、それは江戸時代において、庶民に訴訟を起こす権利が確立していたからではありません。

江戸時代に、百姓が領主に提出する訴状は、「恐れながら…願い上げたてまつり候」といった文言で書き始められるのが通例でした。これは、「恐れ入りますが、…（訴訟の審理を）お願い申し上げます」という意味です。このへり下った言い回しにみられるように、江戸時代の百姓は、建前上は、民事紛争の解決を領主に要求する権利を公然と主張できたわけではありませんでした。むしろ、百姓の訴訟は「お上《かみ》の手を煩わす」ものとされていたのです。領主が訴訟を受理するのは、領主の義務ではなく、民を憐れんでのお慈悲でした。

けれども、こうした建前にもかかわらず、実際には百姓たちは武士たちが辟易《へきえき》するくらい頻繁に訴訟を起こしました。百姓たちは、「お上の手を煩わす」ことを恐れはばかってばかりはいなかったのです。江戸時代の百姓たちは、武士に虐《しいた》げられた「もの言わぬ民」などではなく、要求や不満があれば遠慮なく訴訟を起こす「もの言う民」だったということです。

こうした百姓たちのたくましさに加えて、読者の皆さんは、「訴訟になっても、この本の事例では、最終的には示談で解決するケースが圧倒的に多いよね」とお思いではないでしょうか。そのとおりです。江戸時代の民事訴訟は、示談で解決することがとても多かったという特徴がありました。その背景には、訴訟に対する、百姓にも武士にも共通する考え方があったのです。それは、訴訟になっても、判決によって理非の判断を明確に下すのではなく、適当な妥協点を見出して和解することによって、こじれた両当事者間の関係を修復して解決するのがベストだという考え方です。

それには、示談・和解がもっともふさわしい解決法でした。両当事者が最後まで争い、判決によってはっきり白黒がつけられれば、敗訴したほうは不満を抱き続け、のちのちまで村や地域内での人間関係がギクシャクすることになります。示談によって、そのような事態を避けようとしたのです。

こうした争いを解決する際の基本的考え方については、百姓と武士は身分を超えて大枠で一致していました。武士は百姓たちに努めて示談を推奨し、百姓たちも積極的にそれを受け入れました。訴訟は徹底的に争うためのものというよりも、示談を導くためのワンステップという意味合いが強かったのです。当事者同士の交渉では合意に至らない場合、いったん訴訟を起こすことによって、領主や第三者的立場の仲裁者を争いに引き入れ、彼らの力を借りることによって示談を成立しやすくしたわけです。示談に応じなければ領主のお裁きが下るという状況をつくり出して、示談が成立しやすい環境を整え、また原告・被告双方をよく知る地域の有力者などを仲裁者に頼むことで、双方の意を酌《く》んだ解決を目指したのです。訴訟の仲裁者は、自ら買って出ることもあれば、領主が適任者に仲裁を命じたり、原告・被告から依頼したりすることもありました。

百姓たちがどんどん民事訴訟を起こした背景には、こうした事情がありました。すなわち、訴訟を起こしても、全面敗訴してすべてを失うような結末にはならないだろう、訴訟途中のどこかで仲裁者が入って、当事者双方がそれなりに納得できる落としどころをうまくみつけてくれるだろうという安心感に後押しされて、百姓たちは比較的容易に訴訟に踏み切る決断をなし得たのです。訴訟に踏み切るためのハードルは、むしろ現代よりも低かったかもしれません。

❖肥料を金で買う時代

本章で取り上げた争いでもう一つ興味深いのは、干鰯の売買が争いの種になっているということです。田畑に連年作付けするためには、肥料の投入が不可欠です。化学肥料のなかった江戸時代には、林野に生える草や木の枝が重要な肥料でした。百姓たちは、林野で草や木の枝を刈ってきて、それをそのまま田に踏み込んだり、発酵させたり焼いて灰にしてから耕地に投入したり、厩《うまや》の床に敷き牛馬に踏ませて糞と混ぜて用いたりと、いろいろなかたちで利用しました。

ただ、時代が下るにつれて、そうした自給肥料だけではなく、お金を出して購入した肥料をも用いるようになりました。そうした購入肥料の代表格が、本章で争いの種となった干鰯や〆粕だったのです。

干鰯や〆粕だけではありません。人の屎尿《しにょう》も、肥料として売買の対象になりました。江戸に住む武士や町人たちにとっては、屎尿は何の使用価値もありません。むしろ、誰かが処理してくれなければ困ります。一方、江戸周辺の村に住む百姓たちにとって屎尿は貴重な肥料でした。そうした両者の利害が一致したため、江戸から周辺農村にたくさんの屎尿が運ばれました。屎尿を扱う業者が、江戸で武家屋敷や町家から屎尿を買い集め、それを舟や陸路で周辺農村に運んで百姓たちに販売したのです。

幸谷村でも、江戸の屎尿を購入していました。明治二年（一八六九）三月に、（酒井）又市は、江戸川に程近い根本村《ねもとむら》（現松戸市）の「米又《こめまた》」（略称、米屋《こめや》だったのでしょう）という商人から、舟一艘分の「下屎《かし》」（人糞）を金四両二分で購入しています（次頁❷）。

舟一艘には、五〇荷《か》（一荷は二斗《と》入りの肥桶《こえおけ》二個）、すなわち肥桶一〇〇個の下屎が積まれました。江戸を出た舟は葛西《かさい》（現東京都江戸川区）から江戸川を遡《さかのぼ》って松戸町まで来ます。下屎はそこで降ろされ、あとは陸路で村々に運ばれます。なかには、そこで別の舟に積み

❷「米又」から又市への下屎の送り状

替えられて、さらに坂川を遡っていくものもありました（池田研一「関さんの蔵通信九四　「しもごえ」のおはなし」『月刊新松戸』四八七号、二〇二〇年）。

❖酒井家が地域の金融を支える

以上述べたように、江戸時代も後半になると、百姓たちは肥料を金で買うようになりました。商品・貨幣経済が村にも浸透してきたのです。そうなると、百姓たちにとっては、それまで以上にお金が必要になってきます。手元にお金がないときには、ほかから借りました。江戸時代には銀行などの金融機関はありませんから、百姓たちは村にある質屋や、富裕な百姓に、衣類・装身具などを質入れして借金したのです。そうした百姓たちの資金需要に応えるために、農業のかたわら質屋を営んだり、質屋の看板は掲げなくとも頼まれれば質物《しちもつ》（担保の品）を取って金を貸したりする百姓が、村のなかに増えてきました。

下総国葛飾郡名戸ケ谷村《などがや》（現千葉県柏市）の儀右衛門《ぎえもん》もそうした質屋の一人でした。ところが、明和《めいわ》五年（一七六八）に、彼は資金不足になってしまいました。質入れに来た人に貸す金がなくなったのです。そこで、儀右衛門は、酒井又市に資金を提供してもらい、儀右衛門のところに持ち込まれた質物を又市に送っています。質入れ人に対しては儀右衛門が金を貸すかたちをとりつつ、実際にはその金は又市が出し、質物も又市が預かったのです。つまり、儀右衛門は自分の代わりに、又市に実質的な質屋の役割を果たしてもらったというわけです。こうしたやり方を「下ケ質《さげじち》」といいます。質屋業の代行・肩代わりです。当然、下ケ質を引き受けるにはそれなりの資金力が必要です。酒井家が当時自ら質屋を営んでいたかどうかはわかりませんが、同家では豊富な資金力を背景に、頼まれれば質屋同様の金融活動を行なっていたのです。

酒井家が下ケ質を引き受けたのは、このときだけではありません。明和八年（一七七一）四月には、名戸ケ谷村の源三郎《げんざぶろう》が又市に、自らの資金不足を理由に下ケ質を依頼しています。又市は依頼を承諾して、源三郎から質物を八か月間預かる契約書を交わしています。

ほかにも、明和三年（一七六六）六月に小金町《こがねまち》（現松戸市）の伝右衛門《でんえもん》が、同年九月には小金町の権左衛門《ごんざえもん》が、それぞれ又市郎《またいちろう》（又市）に下ケ質を引き受けてくれるよう頼んでいます。また、天明九年《てんめい》（＝寛政《かんせい》元年、一七八九）二月には、小金町の長四郎《ちょうしろう》が酒井家の市郎《いちろ》右衛門《うえもん》に下ケ質を頼んで、自らのところに持ち込まれた質物を送っています。

このように、酒井家はたびたび下ケ質を引き受けています。同家は、相手から直接頼まれれば、自身で金を貸すこともありました。そうした直接の貸借関係だけでなく、質屋金融を下支えするというかたちでも、百姓たちの資金需要に応えるはたらきをしていたのです。現代のように金融機関が発達していない江戸時代の農村部においては、酒井家のような有力者が地域の金融の円滑化に重要な役割を果たしていました。

おわりに――協力しあい暮らしを守るたくましい百姓たち

本書の「はじめに」では、「江戸時代の百姓は無学で、読み書きができなかった」、「村は閉鎖的な社会で、村人は村外のよそ者とは付き合わなかった」、「百姓は武士に対しては服従するだけの無力な存在だった」、「江戸時代の農業は自給自足的だった」といった、江戸時代の百姓と村についてのイメージを四点あげて、本書ではそうしたイメージの妥当性について、具体的な事例に基づいて考えてみたいと述べました。それについて、ここであらためてまとめておきましょう。

まず、第一章では、江戸時代の村と百姓について、基本的な事柄を簡潔に述べました。

第二章では、幸谷村の村人たちが、自ら年貢に関する計算を行ない、多くの文書を作成していたことを示しました。また、百姓たちは武士に頼りきりだったのではなく、村のルールを自主的に定めて、違反者の摘発や処罰も自ら行なっていました。彼らは自主的・自律的に村を運営しつつ、必要に応じて領主の力も借りることによって、村での暮らしを維持・向上させようとしていたのです。

第三章では、村内で起こった争いを解決するにあたって、証拠文書の有無や記載内容が重要な意味をもったことがわかりました。そうした文書の多くは、百姓自身が作成したものでした。江戸時代のかなりの百姓たちは、文書を作成したり、その内容を理解したりする能力をもっていたのです。また、村に賦課された年貢の各戸への割り当て分を計算する能力もありました。そして、作成・授受した文書を大切に保存していました。文書が、後日の権利証明や争いの公正な解決のために必要だということを理解していたのです。これは、第二章で述べたこととも重なります。百姓たちは、けっして無学・無知な存在ではなく、文書の重要性を十分に認識していました。酒井家の古文書も、そうした先人たちの思いのもとに、大切に保存されてきたのです。

第四章では、利水と治水という一村だけでは解決できない課題については、関係村々がときには争いつつも、日常的には緊密に連携していたことがわかりました。今日よりも低い技術水準のもとでも何とか水害を防止し暮らしを守ろうと、百姓たちは幕府や領主の指導・援助を受けつつ、自主的に協力し合っていたのです。今日のようにコミュニケーション手段が発達していなかった江戸時代にあっても、百姓たちは村を超えて連絡をとり合い、共同して課題の解決を目指していました。百姓たちの世界は、村の枠を超えて拡がっていたのです。

第五章では、百姓たちが、領主の役人の罷免を実現した事例をご紹介しました。百姓たちは、武士に対して頭が上がらない無力で弱い存在ではなく、言うべきことは敢然と自己主張する存在でした。そうすることで、自分たちの暮らしを守り改善していこうとしたのです。領主も、百姓たちの意向や要求を無視することはできませんでした。身分格差のもとでも、百姓たちはけっして「もの言わぬ民」ではなかったのです。ただ、百姓たちは、領主の過大な経済的要求を全面的に拒否することはできませんでした。幕末になると領主の御用金などの賦課がますます過重になり、百姓と領主の間の矛盾が深まっていったことも見逃してはなりません。そうしたなかでも、百姓たちは領主に対して「もの言う」ことで、領主と対峙し相互にせめぎ合いつつ、自分たちの生活を守っていたのです。

第六章では、百姓たちが購入肥料を積極的に導入して、農業生産を増大させようとしていたようすを取り上げました。江戸時代には魚や人の排泄物が貴重な肥料であり、それらは九十九里の浜辺や江戸の町から幸谷村へと運ばれたのです。それらの売買の際には文書がやり取りされましたし、トラブルが起これば訴訟文書が作成されました。百姓たちは、商取引の世界で不利益を被らないためにも、読み書き・計算の能力を身につける必要があったのです。

以上、各章で述べたところから、自分たちの暮らす村を自治的に運営していた百姓たち、読み書き・計算を学んで、さかんに商品の売買を行ない、ときには積極的に訴訟を起こして要求を実現しようとする百姓たち、広範囲にわたって結びつきを拡げることで災害に立ち向かった百姓たち、武士に対しても敢然と自己主張する百姓たち、そうしたたくましい百姓たちの姿が浮かび上がってきたのではないでしょうか。本書が、江戸時代の百姓たちの実像を知っていただく一助となれば幸いです。

私は、松戸市に暮らして二八年になります。人生の半分近くを松戸市民として過ごしてきたので、地元への愛着もしだいに強まってきました。私は江戸時代史の研究者ですから、その専門を生かして、古文書から松戸市域の江戸時代の姿を明らかにすることを通じて、これからもさらに地域への理解を深めていきたいと思っています。

本書の執筆に当たっては、酒井家文書の所蔵者伊藤久美子氏と、松戸市立博物館の富澤達三・中山文人両氏にたいへんお世話になりました。また、文学通信の岡田圭介氏には、出版事情の厳しいなかで快く出版を引き受けていただき、渡辺哲史氏には丁寧な編集作業をしていただきました。ここに記して、厚く御礼申し上げます。

著　者　渡辺尚志（わたなべ・たかし）

1957年、東京都生まれ。東京大学大学院博士課程単位取得退学。博士（文学）。一橋大学名誉教授。専門は日本近世史・村落史。主要著書に、『百姓の力』（角川ソフィア文庫）、『百姓たちの江戸時代』（筑摩書房〈ちくまプリマー新書〉）、『百姓たちの幕末維新』（草思社文庫）、『東西豪農の明治維新』（塙書房）、『百姓の主張』（柏書房）、『海に生きた百姓たち』（草思社）、『日本近世村落論』（岩波書店）などがある。

言いなりにならない江戸の百姓たち
——「幸谷村酒井家文書」から読み解く

2021（令和3）年5月20日　第1版第1刷発行

ISBN978-4-909658-56-2 C0021

発行所　株式会社 **文学通信**
〒114-0001 東京都北区東十条1-18-1 東十条ビル1棟101
電話 03-5939-9027　Fax 03-5939-9094
メール info@bungaku-report.com ウェブ https://bungaku-report.com

発行人　岡田圭介

印刷・製本　モリモト印刷

ご意見・ご感想はこちらからも送れます。上記のQRコードを読み取ってください。